はじめに

はじめまして。**ＴｉｋＴｏｋの運用やコンサルティングを行うＲＰＧエンターテイメント社**の社長をしているしずくです。

私たちは、これまで多くのＴｉｋＴｏｋアカウントのコンサルティングや運用を手がけてきました。

コンサルティングしたパフォーマーの動画が**８２００万回以上再生**されたり、**店舗のアカウントがバズった**ことで売上やお客様の数を倍増させたりしてきました。

そんな私たちが、**ＴｉｋＴｏｋの可能性やバズらせるためのノウハウを伝えていく**のが本書です。

TikTokは伝えたいことを100%表現できる

TikTokがほかのSNSともっとも違うのは、おすすめ動画が自動的に再生されることです。

おすすめのフィードには、ブームになっている動画や、過去の視聴傾向などを基にした動画がどんどん流れてきます。30分TikTokを見ていれば、今は何が流行っているのか理解できるほどです。

Instagramでも、おすすめ投稿やユーザーが表示されますが、自分でおすすめの中から好きな写真を選ぶというアクションが入ります。

そのため、Instagramは食べ物や洋服

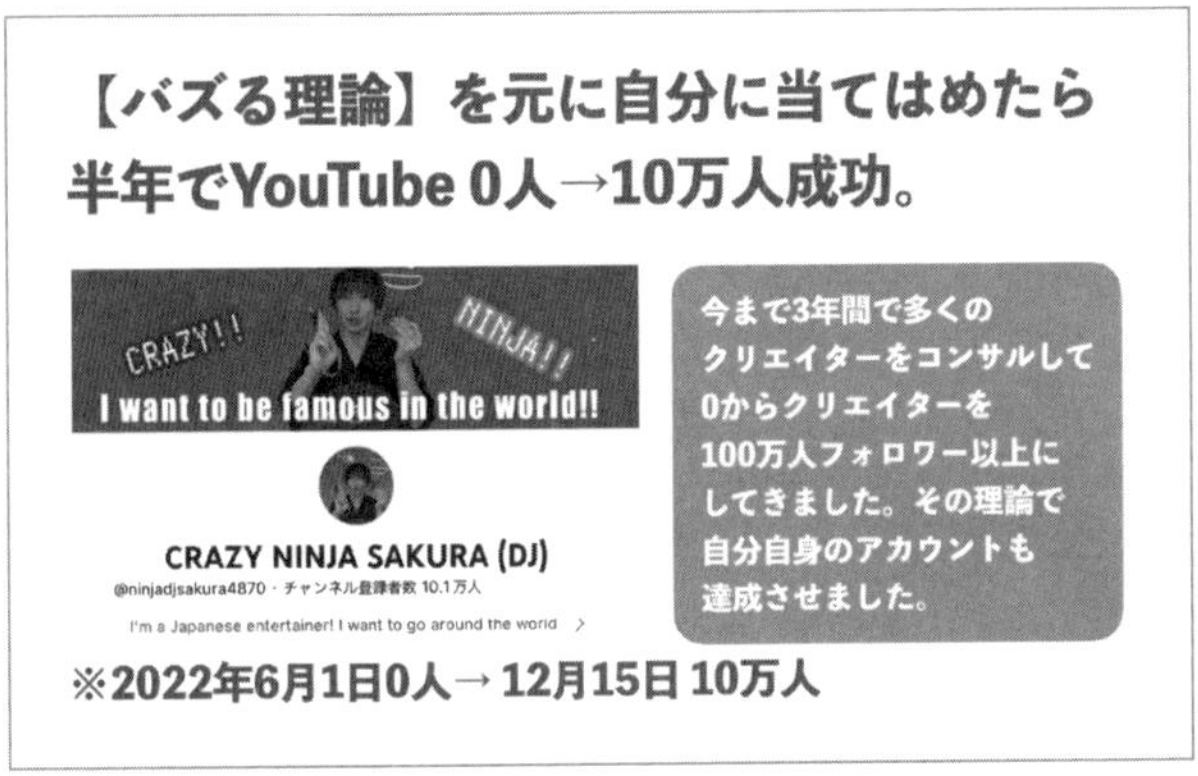
【バズる理論】を元に自分に当てはめたら
半年でYouTube 0人→10万人成功。
CRAZY!!
NINJA!!
I want to be famous in the world!!
CRAZY NINJA SAKURA (DJ)
@ninjadjsakura4870・チャンネル登録者数 10.1万人
I'm a Japanese entertainer! I want to go around the world
今まで3年間で多くのクリエイターをコンサルして0からクリエイターを100万人フォロワー以上にしてきました。その理論で自分自身のアカウントも達成させました。
※2022年6月1日0人→ 12月15日 10万人

著者のチャンネルです

など写真でわかる魅力は伝わりやすいですが、それ以外は伝わりにくいです。

ＴｉｋＴｏｋは動画のＳＮＳであり、よりリアルにイメージできるため、おいしいもの、楽しいもの、サービスも伝わりやすいんです。**動画の作り手が「こう伝えたい」と思ったことを１００％に近い状態で伝えられます。**

動画のＳＮＳとしては、ＹｏｕＴｕｂｅを利用している人も多いでしょう。

しかし、発信者側からみると**ＹｏｕＴｕｂｅは先行者利益が大きく、新規参入の壁が高い**です。

早くにＹｏｕＴｕｂｅを始めていたチャンネルは登録者が多く、圧倒的に動画を見られやすいからです。

その点、ＴｉｋＴｏｋはブームにうまく乗って動画を作れば、多くの人に動画を見てもらえる可能性があり、新しく始める人にもチャンスがあります。

こういったＴｉｋＴｏｋの特徴を知ったインスタグラマーやＹｏｕＴｕｂｅｒが、

ＴｉｋＴｏｋに多く流れてきています。

ＴｉｋＴｏｋは世界を変える

ほかのＳＮＳと比べたＴｉｋＴｏｋの優位性として、**海外にコンテンツが流れていきやすい**という特徴があります。

ＴｉｋＴｏｋはもともと音楽とダンスのＳＮＳで、**音楽やダンスは世界共通のもの**だからです。

ＴｉｋＴｏｋでは、日本のユーザーに海外で人気の動画が流れてきますし、逆に日本で流行っているものが海外に流れていくこともあります。

つまり、これからＴｉｋＴｏｋを始めて、世界的なブームをつくっていくことも不可能ではないんです。

TikTOkの凄さ
始めて1日目の動画が
100万再生ありえる!!!
1個目の動画で100万再生を1日で出せる。
実際にコンサルした人が
最初から20人以上が
1個目から100万再生以上出ている。

何か伝えたいことや宣伝したいことがある人、自身の知名度を上げたいと考えている人に、ぜひ本書を読んでいただきたいです。

目次

第2章　ＴｉｋＴｏｋで何ができるか？（活用方法）　29

第3章　ＴｉｋＴｏｋをバズらせるノウハウ（実例をもとに）　43

第4章 企業がＴｉｋＴｏｋを活用するときの注意点 73

第1章

TikTokをバズらせる仕事をしています

祖母との日常を記録した動画がバズったのがきっかけ

僕は現在、ＴｉｋＴｏｋの運用やコンサルティングをしています。こうした仕事をするようになった経緯は、祖母が病気のときに、入院していた病室でパントマイムを見せる動画が思いがけずバズったことでした。

今に至る経緯を知っていただくために、少し僕の話をさせてください。

僕が物心をついたときには、両親はおらず祖母しかいませんでした。父母が1歳の僕を、祖母の家に置き去りにしたことは大人になってから聞きました。

こういったエピソードを誰かに話すと、たいていの人は「えっ⁉」と驚きます。同情のような気持ちかもしれませんが、少なからず反応があるんです。

こうした経験をしていくうちに僕は、自分自身を物語にするような生き方を選ぶようになっていったのだと思います。

幼い頃は物静かな1人で人形遊びをしているような子でした。

中学生になると、おじさんからパソコンをもらったことからプログラミングを独学で学びはじめ、高校生になったらサーバーを借りてホームページの制作をはじめました。

うちはお小遣いをもらえなかったのですが、田舎に住んでいたので高校生が働けるようなアルバイト先もありません。

だから、ホームページを利用してアフィリエイトで稼いだり、賞金がもらえるWeb制作のコンテストに応募したりしていました。


その後、僕の人生の転機になったのは、**大道芸人の道**を選んだことです。

サラリーマンになって2~3年経ったある日、街中でパフォーマンスをしている大道芸人を見かけたことがキッカケでした。

パフォーマンスを見ていて、思ったんです。

「この人たちの人生はきっと楽しいだろうな。パフォーマンスなら言葉を使わなくても通じるので、この仕事を覚えたら世界中どこへでも行ける」と。

思い立ったら動かずにはいられない性質の僕は、次の日には会社を辞めていました。

会社を辞めて大道芸人になると友達に話したら、「大道芸ってピエロ？　道端で何かするだけで生きていけるの？」と言われましたし、祖母に会社を辞めたとは言えませんでした。

でも、まわりになんと思われようと、**「僕はこれからワクワクする人生を歩めるんだ」**という高揚感がみなぎっていました。

新宿駅に着いたときの所持金は2000円だった

大道芸人になることを決めてからは、動画を見ながら見よう見まねで学びはじめました。

大道芸にはさまざまな流派があります。

例えば、音楽を使ってはいけないパントマイムの流派だったり、大道具は使ってていいけど小道具は使っちゃいけない流派だったり。

誰かに弟子入りすると流派に合わせなければいけないので、**僕なりの流派をつくろう**と決めました。

1か月ほど練習を続けていくうちに、早くパフォーマンスをしたいという気持ちが強くなっていったんです。

パフォーマンスの完成度はまだまだでしたが、僕はストリートでのパフォーマンスを始めました。

はじめてパフォーマンスした日の収入は3000円。

「今のパフォーマンスの価値は、このくらいなんだな」と実感しました。

ストリートパフォーマンスをする日々は楽しかったものの、すぐに稼げるようにはならず、半年もすると貯金が底をつきかけてきました。

「このままだと、まずいな……」

そう思った僕は、**東京行きを決めました。**

大勢の人が集まる東京なら観客も増えるだろうし、もっと稼げると思ったからです。

勢いで上京した僕が、新宿駅に到着したときの所持金は2000円。

その日は新宿駅のトイレで寝て、翌日からストリートパフォーマンスをはじめました。


翌日に1万円稼ぎ、マンガ喫茶に泊まれました。

その後は友達の家を転々としながら、パフォーマンスで稼げたときはカプセルホテルに泊まるという生活。

少しずつお金を貯めていき、次はマンスリーマンションを借りました。

80万円くらい貯まってきたところで、4万5000円のアパートを借りられました。


僕のやっていたストリートパフォーマンスは、**ストーリー性のある物語をパントマイムで伝える**というもの。

ロボットに扮してパントマイムをして、最後に観客に花を渡して死ぬというバッドエンドの物語もそのひとつです。

ストリートパフォーマンスには、日常では味わえないような心温まる出会いがあります。

ロボットのパフォーマンスで最後に女性にお花を渡したところ、**「実は今日、彼にプロポーズされたんです」**と話してくれたり。

男性にお花を渡したときには、**「君のパフォーマンスを通じて、亡くなった妻が元気を出してねと言ってくれた気がした」**と言われたり。

10年以上前の出来事ですが、今でも心に残っている記憶です。

ストリートパフォーマンスで稼げるようになった後は、**蜷川幸雄さんの舞台に出演して演劇を学び、自分で劇団も立ち上げました。**

劇団で舞台を上演した後、自分のパフォーマンスの力だけで日本一周をしようと、**3か月で47都道府県をまわる旅**をしたこともあります。

毎日ゼロリセットでスタートして、**その日の生活費をすべてストリートパフォーマンスで稼ぐというルール**で、最終的には**3か月で300万円以上**稼ぎました。

その後は、アメリカやヨーロッパなどの海外を、ストリートパフォーマンスをしながら旅しました。

目の前にいないお客さんにもパフォーマンスを届けられる

僕の次の転機となる出会いは、**2011年にYouTuberのヒカキンさんと知り合い**、YouTubeの可能性を知ったことです。

当時、YouTubeは、今ほど市民権はない状況でしたが、僕はとても可能性を感じました。

ストリートパフォーマンスはお客様を集められても、目の前で見られるのは100人が限界です。

でも、**動画でならいくらでも多くのお客さんに届けられる。**

これはすごいと思い、動画に力を入れ始めましたんです。

YouTubeでは思うような結果は得られなかったのですが、その後、日本に上陸したばかりのＴｉｋＴｏｋを始めたところ、２本目の動画が20万再生を超えたんです。内容はたわいもない動画で、**猫にマジックを見せるけど見向きもされないという内容**でした。

その次にバズったのは、**白血病で入院していた祖母との動画**でした。

祖母との動画を撮影していたのは、ＴｉｋＴｏｋのためではなく**僕を育ててくれた祖母とのやりとりを記録しておきたいという想い**からです。

https://vt.TikTok.com/ZSR6peD3M/?k=1

しかし、思いがけず動画がバズって、たくさんの応援コメントをいただきました。

その当時は、音楽に合

わせてダンスを踊る動画が多かったので、**リアルな動画が珍しかったんです。**

最初の3秒で観客を惹きつける

大道芸人だった僕が、なぜＴｉｋＴｏｋなどのショートムービーの仕事で結果を残せているのか。

それは、**ストリートパフォーマンスとショートムービーには共通点がある**からです。

ストリートは実力主義の世界で、パフォーマンスを見て３秒でお客さんが立ち止まるかどうかで決まります。

「この人面白そうだな」と思わせるところから始まり、**「きっとこんなことをするんだろうな、この道具を使うんだろうな」と次の展開を期待させること**が大事です。

そして、**「ショートムービーの世界は面白くないと3秒でスキップされる」**と言われています。

観客を3秒で惹きつけるという経験を、**ストリートという生の現場で積み重ねてきたこと**が活きていると感じています。

また、祖母との動画が思いがけずバズったことで、**ＴｉｋＴｏｋとＹｏｕＴｕｂｅとの違い**も感じました。

ＹｏｕＴｕｂｅは動画が長く、編集にもそれなりの時間がかかります。

しかし、**ＴｉｋＴｏｋは編集しなくてもいいし、隙間時間でも撮影できるから、スマホひとつでも完結できる。**

ＹｏｕＴｕｂｅみたいにカメラや台本、ライトを用意しなくてもいいし、その人の私生活をほんの少し見せるだけでいいんです。

ＴｉｋＴｏｋを活用したい人を支援する会社をつくる

ＴｉｋＴｏｋに今後の可能性を感じた僕は、ＴｉｋＴｏｋに力を入れていくと決めました。

その当時、僕は「ＲＰＧ社」という会社を立ち上げていて、タレントやクリエイターをマネジメントする仕事をしていました。

ＲＰＧ社を立ち上げた経緯は、**クリエイティブに集中したいクリエイターの力になりたい**と思ったから。

クリエイターにはマネジメントも自分でやれる人と、マネジメントは別の人に任せて自分はクリエイティブに集中したい人がいますが、**1人で両方をやっていける人はほとんどいません。**

こうした人たちがＴｉｋＴｏｋを活用すれば、もっと輝けると思いました。

現在、ＲＰＧ社では自社に所属しているタレ

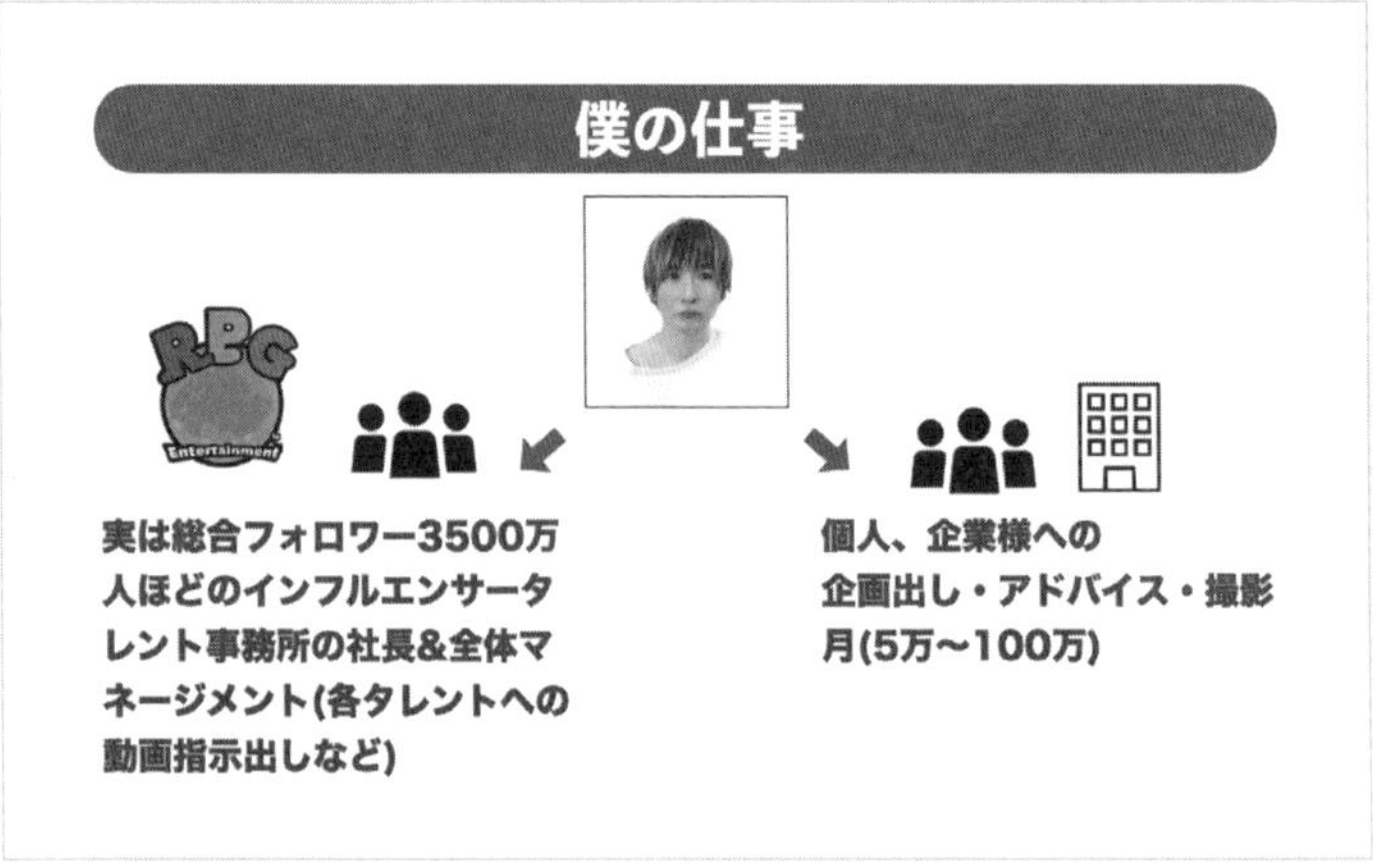

僕の仕事
RPG
Entertainment
実は総合フォロワー3500万人ほどのインフルエンサータレント事務所の社長&全体マネージメント(各タレントへの動画指示出しなど)
個人、企業様への企画出し・アドバイス・撮影
月(5万〜100万)

ントやパフォーマーのほか、外部の方や企業のＴｉｋＴｏｋコンサルティングや運用代行を行っています。

パフォーマー、タレント、音楽家、企業、さまざまな人の動画に携わり、１００万再生を超える動画を数多く手がけてきました。

こうした結果を残せているのは、ＴｉｋＴｏｋの動画を制作するときに押さえるべきポイントを、実践を通じて学び、どんどん発展させてきたからです。

ＴｉｋＴｏｋは有名になりたい人をバズらせるだけでなく、**モノやアプリを販売したり、お店や音楽を有名にしたりする**など、さまざまなことを実現できます。

次の章からは、**ＴｉｋＴｏｋで何が実現できるのか**を具体的に説明していきます。

第2章

TikTokで何ができるか？（活用方法）

ＴｉｋＴｏｋの活用方法

ＴｉｋＴｏｋにはどのような活用法があるのでしょうか。この章では以下６つの活用法を紹介します。

1. 物を売る方法
2. アプリをダウンロードさせる方法
3. 洋服を売る方法
4. お店を有名にする方法
5. 音楽を有名にする方法
6. ＴｉｋＴｏｋをバズらせてＹｏｕｔｕｂｅへ誘導する方法

1. 物を売る方法

ＴｉｋＴｏｋで物を販売する方法は２つあります。

TikTOkでブームを作る

インフルエンサーに紹介してもらった場合

●実例1　案件として依頼した場合
インフルエンサーに紹介してもらう
費用100万円　1本　30万再生

デメリット
- 一本でその効果は終わってしまう。
- 予算が500万以上ないとブームが起きにくい

店舗で自分でチャンネルを作った場合

●実例1　運用代行した場合
費用100万円　31本動画　合計168万再生
※弊社が企画・撮影・編集した場合の結果

メリット
- 店員が演じるチャンネルだから
  その店員のファンが増え集客に繋がった。
- また1ヶ月後その動画を繰り返し投稿できる。
  (おすすめには新規に流れていく)
- 少ない予算でブームを作れる可能性がある。
- そのお店のフォロワーが10000人増加

1つは、**有名なインフルエンサーを起用して商品をおすすめしてもらう方法**です。一時的な売上にはつながりやすいですが、動画の質はインフルエンサー次第になってしまうので、商品のブームを起こせるかは未知数です。

2つめは**商品のアカウントをつくり、動画を投稿していく方法**です。例えば、売りたい物がグミだとしたら、毎回さまざまな人が登場してグミを食べたり、街中の人に食べてもらったりする方法があります。ブームをつくるには、ある程度長い期間、動画をたくさん投稿していく必要があるので、**設定がちゃんと決まった商品アカウントを運用することが大事**です。

https://www.tiktok.com/@psychopathcal

店舗系のアカウント

の場合は、**仕事内容をコント仕立てにして動画にする**こともあります。

例として、弊社がコンサルティングした車屋さんのアカウントを紹介します。

この動画では、従業員が失敗したことを怒らない社長さんが、「カメラが回っていません」と聞くと、豹変して説教するというコミカルな内容になってい

https://www.tiktok.com/@psychopathcal

https://www.tiktok.com/@psychopathcal

ます。

こうした人柄の見せ方は間違えてしまうと炎上のリスクもあるので、演出をプロに任せるとリスクが少ないです。

また、何か物を販売する店舗なら、**心理テストやクイズを入れる方法**もあります。

例えば、たばこ屋さんだとしたら、「1つのたばこがあります。これを1000円で買いました。おつりは700円です。そして、ガムを買いました。さあ残りはいくらになるでしょうか?」などです。


企業アカウントでやってしまいがちなのは、「今日は●●を紹介します。すごく、いいですよね」と一方的に商品を紹介することです。

そうではなく、たばこに絡めたクイズや、共感を呼ぶ「あるある」など、**たまたま動画にたばこが出てくるくらいがちょうどいい**です。

おすすめで動画が流れたとき、**初速である程度多くの人に見られることがバズりにつながる**ので、**ターゲットをあまり狭めすぎない**ことも大事です。

2. アプリをダウンロードさせる方法

ＴｉｋＴｏｋでアプリをダウンロードさせるには、**起承転結のあるストーリーを見せて長く動画を見てもらう方法**があります。

例えば、**「ポイント女子／ポン美」**というアカウントは、歩いたらポイントがたまる**『Ｂｅａｕｔｙ Ｗａｌｋ』というアプリを紹介する目的**で運用しています。

内容としては、女の子が「私はポイントを集めて生きる女の子だよ。今日は●●に行って、ポイントがこのくらいたまって、●●をもらったよ」と話します。

https://www.tiktok.com/@beautywalk123?_t=8XOZd6wf9Or&_r=1

実際にアプリを使ったらどうなるかイメージがわく内容になっています。

アプリのジャンルによって動画の内容は変わってきますが、**美容やダイエットなどは動画で表現しやすいジャンル**です。

例えば、アラームのアプリなら、Ｖｌｏｇ系でとある人の１日を紹介して、眠りにつくまでを紹介するなど。**起承転結があると、最後まで見られやすいんです。**

それに加えて、**ちゃんとした設定があると面白くなります。**「こんにちは。今日は○○に行ってきます」よりも、「こんにちは。ホームレス女子の○○です」のほうが、先の展開が気になります。

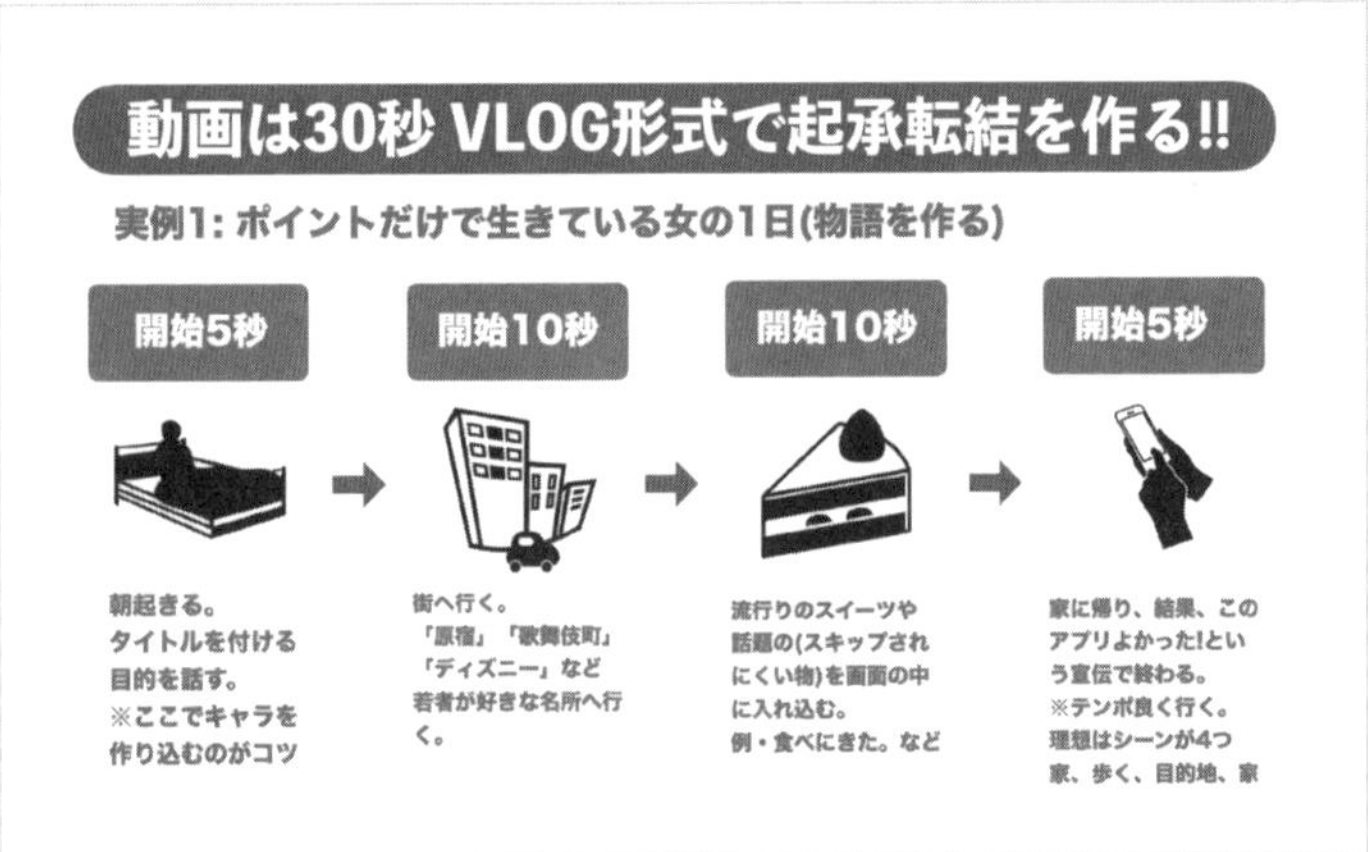
動画は30秒 VLOG形式で起承転結を作る!!
実例1: ポイントだけで生きている女の1日(物語を作る)
開始5秒
開始10秒
開始10秒
開始5秒
朝起きる。
タイトルを付ける
目的を話す。
※ここでキャラを
作り込むのがコツ
街へ行く。
「原宿」「歌舞伎町」
「ディズニー」など
若者が好きな名所へ行
く。
流行りのスイーツや
話題の(スキップされ
にくい物)を画面の中
に入れ込む。
例・食べにきた。など
家に帰り、結果、この
アプリよかった!とい
う宣伝で終わる。
※テンポ良く行く。
理想はシーンが4つ
家、歩く、目的地、家

だから、**設定はとても大事なんです。**設定の中で、「このアプリを使うとこんな人生が変わる」と伝えられるとよりいいです。

3. 洋服を売る方法

洋服を売る方法としては、**カップル系チャンネルでおすすめする方法**があります。

例えば、次の動画はカップルで洋服をペアルックでコーディネートし、トレンドの曲に合わせてダンスしています。

カップル系チャンネルは再生数がいい傾向があり、売上にもつながりやすいです。

https://vt.tiktok.com/ZSR3TTXBG/

4. お店を有名にする方法

お店を有名にする方法は、**スタッフの人柄やお店の雰囲気が伝わるような動画づくり**が大事です。

10〜30秒ほどのコント仕立てがおすすめで、3人以上スタッフがいる場合はダンス系動画もいいと思います。

例えば、次の動画はコンタクトレンズの会社のアカウントのものです。

先輩写真が後輩に「1万円の原価って、知ってる?」と質問し、二人の会話が始まってオチがあるという流れです。

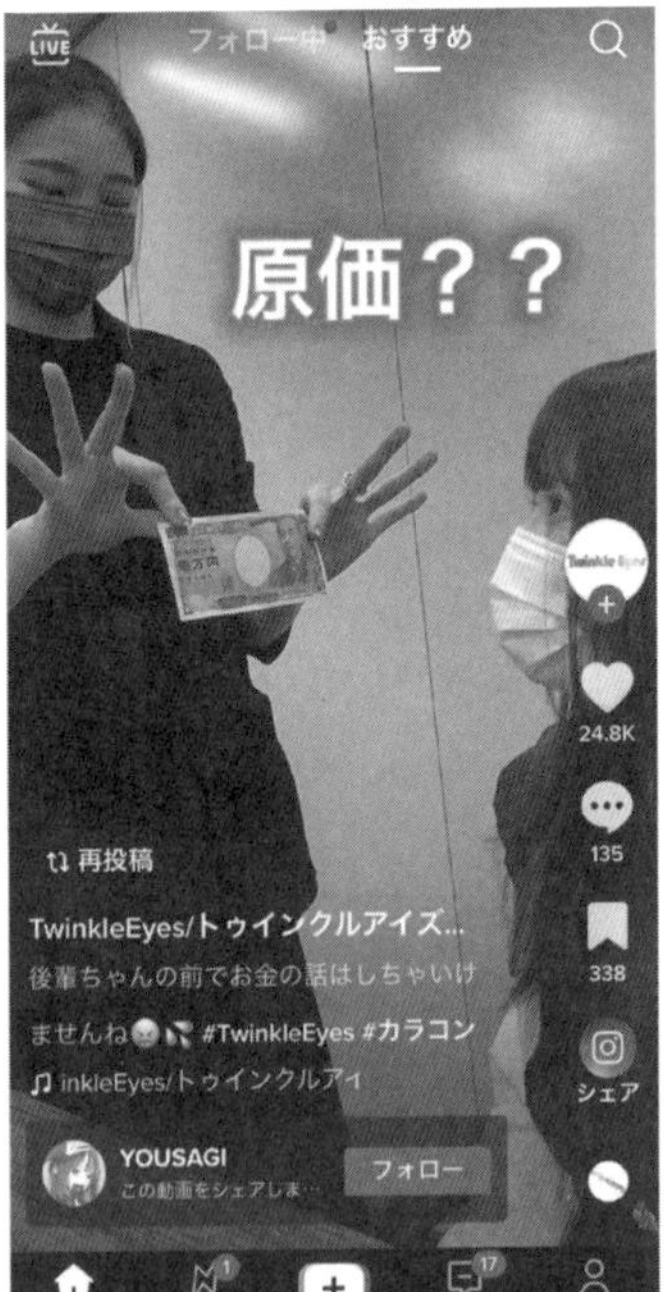

https://vt.tiktok.com/ZSRa9CLHk/

こうした店舗や企業さんからの依頼は多いです。**外部に委託する理由は、TikTokを運用し続けるのは工数がかなりかかる**からです。

例えば、人柄がわかるような動画づくりの企画、職場の雰囲気がわかるような演技指導、20~30秒の台本をつくる、ダンス系動画の曲選びと振り付け、トレンドの曲を探すなど、やることがたくさんあります。

本業をしながら、TikTokの運営を両立するのはなかなか大変です。

5. 音楽を有名にする方法

音楽を有名にさせる方法は、振り付けがわかりやすいダンスをつけ、そのダンスが真似されてシェアされ、多くの人がその動画を撮るようになる、という方法です。

例えば、「まーるいお日々が空を飛んでて」みたいな振り付けがあるとして、**仕草やジェスチャー、歌詞がリンクするように振り付けをつくります。**すると、イメージされやすいので、**バズったときにその動画で多くの人がその振り付けをやりやすい**です。

また、**ノリやすいテンポの曲であることも大事**です。テンポがいい曲のほうがバズりやすかったり、使われやすかったりする傾向があります。例えば、こちらの動画は楽天ポイントの曲に合わせて踊っています。

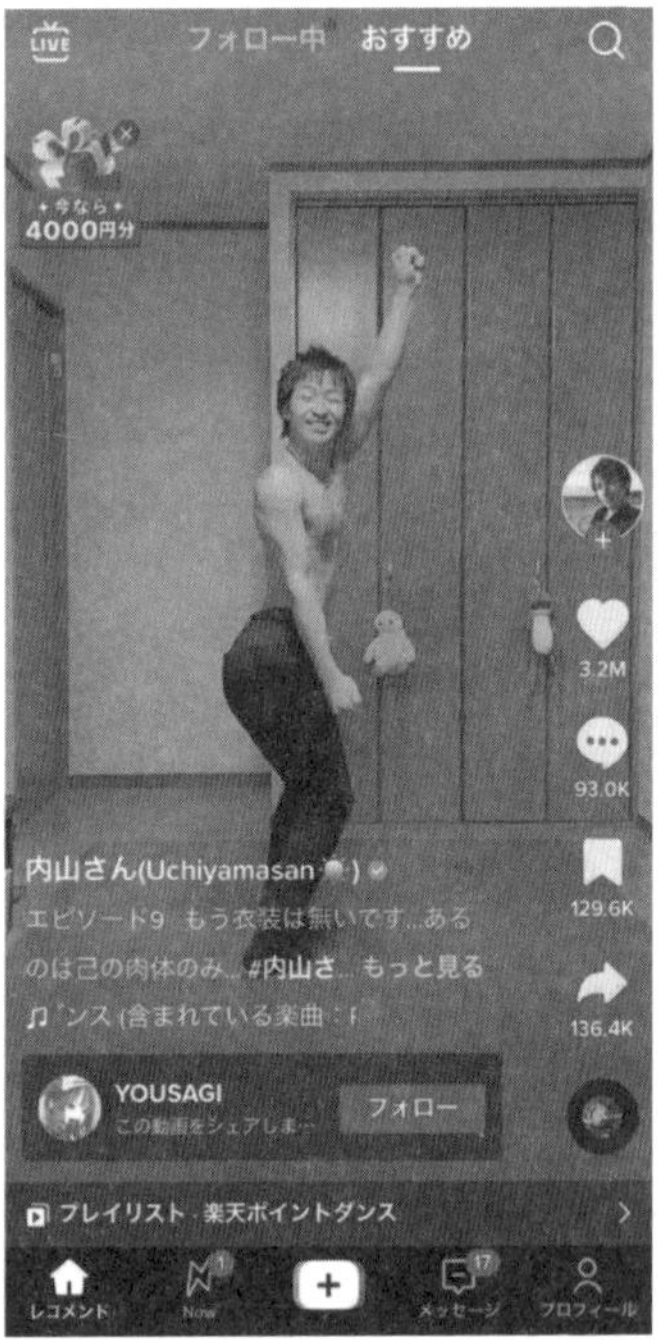

https://vt.tiktok.com/ZSRa9PfYe/

バラードの音楽はダンスには向かないですが、BGMとして使われやすいので、感動的な曲は感動的な路線の動画と合わせるのがおすすめです。

6．TikTokをバズらせて、Youtubeへ誘導する方法

TikTokをバズらせて、Youtubeへ誘導する方法は、例えば**歌なら、サビの手前で動画を切って、続きが見たくなるようにさせる**という方法です。例えば**料理なら、試食の感想はYoutubeで見せて、切り抜きをTikTokに載せます。**

ただ、切り抜くだけでなく、こんなふうに**わかりやすくタイトルをつけることが大事**です。例えば、「コナンの犯人が大阪でバイオリンを弾いたら」というタイトルで、続きはYoutubeでと誘導しています。このTikTok動画は11万回再生されています。

タイトルの付け方次第で、Youtubeへの流入も変わります。

https://vt.tiktok.com/ZS8FH4dH7/

ＴｉｋＴｏｋは再生数が伸びても単独では収益化ができないため、基本的には収益化ができるＹｏｕｔｕｂｅも一緒に運用するのがおすすめです。

Ｙｏｕｔｕｂｅは今、横動画と縦型のショート動画があります。ショート動画は少し広告がついていますが、来年からさらに広告が入ってくる予定なので、ショート動画も収益化しやすくなるんです。

その背景として、ショート動画がよく見られるようになってきていること、ＴｉｋＴｏｋをしているクリエイターにＹｏｕｔｕｂｅに戻ってきてほしいという狙いがあるとも言われています。

第3章

TikTokをバズらせるノウハウ（実例をもとに）

TikTokを始めるための7つの準備

TikTokを始めるために必要な7つの準備について、説明します。

1. 機材の準備
2. バズらなくても楽しめるメンタル
3. 動画のジャンルを考える
4. キャラクターづくり
5. 動画の長さ、更新頻度
6. サムネイル
7. ハッシュタグ

1. 機材の準備

TikTokに必要な機材は少ないです。

スマホとスマホ用の三脚、リングライトを揃えれば大丈夫です。

リングライトは1万円ほどの、かなり明るいものがあると、暗いところで撮影するときにも安心です。

リングライト

2. バズらなくても楽しめるメンタル

ＴｉｋＴｏｋは、動画を上げ続けてもなかなか結果がついてこないこともあります。

そんなときでも、動画を上げ続ける必要があるので、**バズらなかったとしても楽しめる趣味のようになると持続しやすい**です。旅行に行くことが好きだったら、旅行に行かなきゃいけないではなく、旅行に行くこと自体が楽しいように、動画が趣味のようになるとベストです。

持続しないと動画の投稿が止まってしまうので、**動画のコンセプトを決める際にも持続できるかどうかが非常に大事です。**

僕自身は、新しいアカウントを運用するときには、動画を上げた日とその結果何人のフォロワーが何人増えたかを記録するようにしています。

フォロワー数がいきなり増えなくても**着実に増えていることを、視覚的に確認できるとモチベーションも変わってきます。**

ＴｉｋＴｏｋのコンサルをさせてもらうときは、記録することを勧めています。

○YouTube

1日目	1人	55日目	1.127万人	140日目	8.48万人
2日目	15人	56日目	1.36万人	141日目	8.55万人
3日目	22人	57日目	1.43万人	142日目	8.64万人
4日目	28人	58日目	1.49万人	143日目	8.68万人
5日目	50	59日目	1.53万人	144日目	8.73万人
6日目	96人	60日目	1.57万人	145日目	8.74万人
7日目	120人	61日目	1.66万人	146日目	8.82万人
8日目	169人	62日目	1.73万人	147日目	8.86万人
9日目	204人	63日目	1.77万人	148日目	8.92万人
10日目	240人	64日目	1.82万人	149日目	8.96万人
11日目	264人	65日目	1.86万人	150日目	8.99万人
12日目	300人	66日目	1.9万人	151日目	9.04万人
13日目	333人	67日目	1.95万人	152日目	9.07万人
14日目	368人	68日目	1.99万人	153日目	9.12万人
15日目	409人	69日目	2.03万人	154日目	9.19万人
16日目	444人	70日目	2.09万人	155日目	9.25万人
17日目	472人	71日目	2.13万人	156日目	9.29万人
18日目	506人	72日目	2.16万人	157日目	9.33万人
19日目	546人	73日目	2.23万人	158日目	9.36万人
20日目	625人	74日目	2.28万人	159日目	9.39万人
21日目	680人	75日目	2.3万人	160日目	9.42万人
22日目	747人	76日目	2.37万人	161日目	9.47万人
23日目	781人	77日目	2.58万人	162日目	9.51万人
24日目	816人	78日目	2.63万人	163日目	9.54万人
25日目	901人	79日目	2.65万人	164日目	9.57万人
26日目	952人	80日目	2.68万人	165日目	9.63万人
27日目	995人	81日目	2.69万人	166日目	9.68万人
28日目	1060人	82日目	2.69万人	167日目	9.70万人
29日目	1120人	83日目	2.82万人	168日目	9.72万人
30日目	1210人	84日目	2.82万人	169日目	9.73万人
37日目	1510人	85日目	2.83万人	170日目	9.77万人
38日目	1930人	86日目	2.84万人	171日目	9.79万人
39日目	2680人	87日目	2.86万人	172日目	9.81万人
40日目	3470人	88日目	2.92万人	173日目	9.82万人
41日目	4110人	89日目	2.94万人	174日目	9.84万人
45日目	6170人	90日目	2.98万人	175日目	9.86万人
46日目	6300人	91日目	3万人人	176日目	9.87万人
47日目	6600人	92日目	3.08万人	177日目	9.89万人
48日目	6900人	93日目	3.20万人	178日目	9.92万人
49日目	7200人	94日目	3.26万人	179日目	9.94万人
50日目	7760人	95日目	3.36万人	180日目	10万人

毎日フォロワー数を記録する

3. 動画のジャンルを考える

動画のジャンルを決めるときに大事なのは、**自分に合ったジャンル**を選ぶことです。例えば読書が好きな人なら、本を紹介する動画にする。すると、本を読むこと自体が好きなので、紹介する動画を撮影することも好きになっていきやすいです。

自分に合ったジャンルがわからない人は、**自分がプライベートでしていることを書き出していく**のがおすすめです。

動画のジャンルとしては、上図のような種類があります。

こうしたジャンルの中から、自分の趣味に近いものはなんだろう、このジャンルならいけるかもと当て込んでいってもいいでしょう。キャンプや日常系などのジャンルもあります。

「ＴｉｋＴｏｋのアカウントは1つのジャンルに特化させたほうがいいですか？」と聞かれることがありますが、**複数ジャンルを扱う場合は、ジャンル同士の親和性と、動画でキャラクターをどのくらい出しているかによって違います。**

例えば、女の子がラーメンを毎日食べるというＴｉｋＴｏｋアカウントがあったとします。そのフォロワーは**「女の子」×「ラーメン」という掛け合わせが好きで見ている**ので、いきなり美容系の動画になったとしたら、それまでのファンの人たちはまったく見ません。

ただ、女子とラーメンが好きな人は男性の比率が高いので、**美容には興味がなくてもキャンプに興味がある確率は高そう**です。そのため、キャンプに関する動画を載せるのはありだったりします。

また、**顔出しをしていない女性がラーメンを食べている**チャンネルだとしたら、その女性のキャラクターが好きで視聴しているわけではなく、ラーメンが好きなだけでチャンネルを見ている可能性が高いです。その場合、**キャンプの動画は見られない可能性**があります。

まず、キャラクターを好きになってもらうことが大事です。

そして、**そのチャンネルのどこで需要と供給を満たすことができるかを考える必要**があります。

4．キャラクターづくり

動画を見てほしい相手を**男性にするか女性にするかで動画の方向性が大きく変わります。**女性がターゲットなら女性が好きなもの、男性をターゲットにするなら男性が好きなものを動画にするべきです。

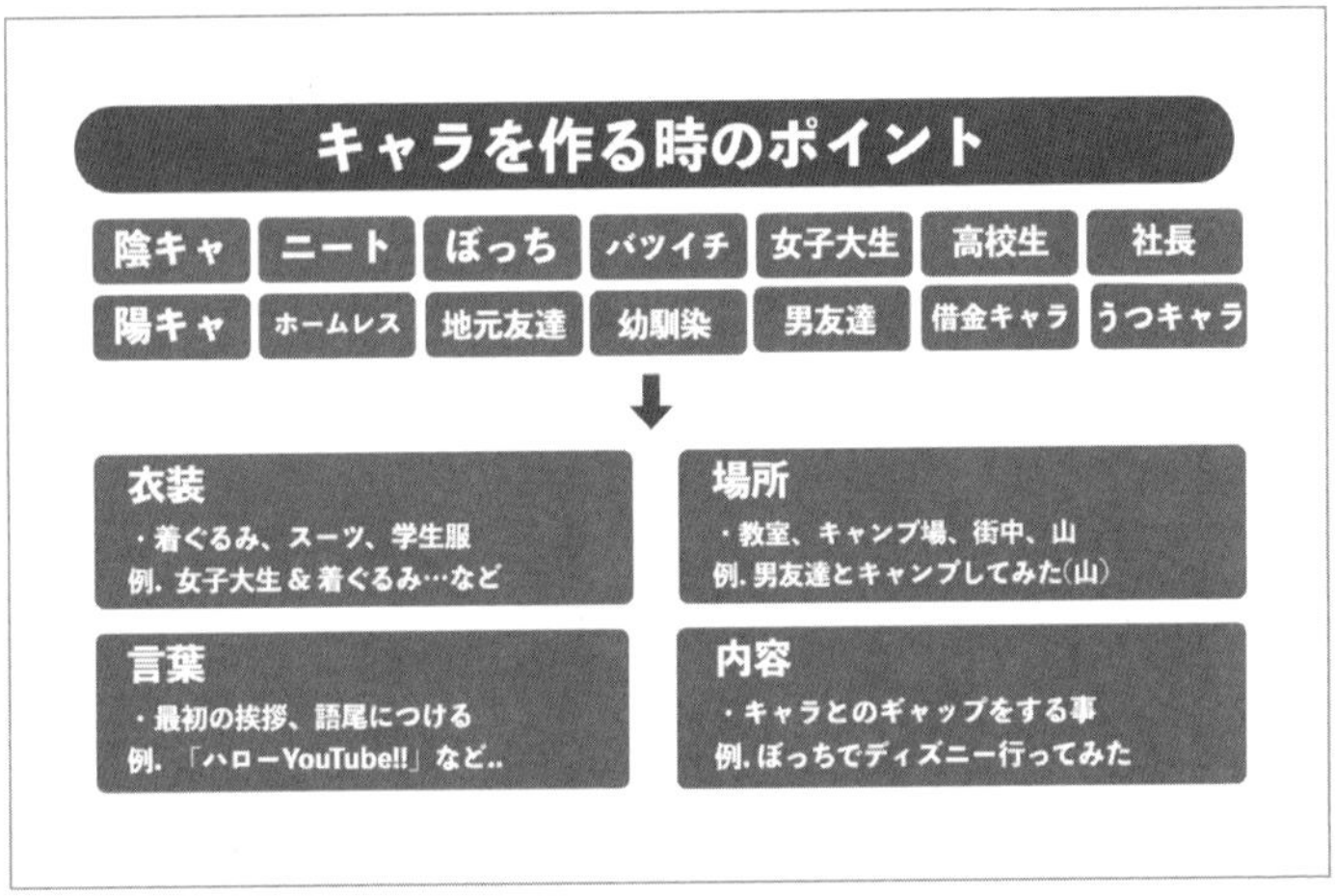
キャラを作る時のポイント
陰キャ
ニート
ぼっち
バツイチ
女子大生
高校生
社長
陽キャ
ホームレス
地元友達
幼馴染
男友達
借金キャラ
うつキャラ
衣装
・着ぐるみ、スーツ、学生服
例. 女子大生＆着ぐるみ…など
場所
・教室、キャンプ場、街中、山
例. 男友達とキャンプしてみた(山)
言葉
・最初の挨拶、語尾につける
例. 「ハローYouTube!!」など..
内容
・キャラとのギャップをする事
例. ぼっちでディズニー行ってみた

もし、**男性の動画配信者が男性をターゲットにする**なら、ビジネス系、モテる系、ＤＩＹ、キャンプなどの趣味系などの動画が支持を得やすいです。

一方、**男性が女性をターゲットにする**なら、メイク、衣装、背景、話し方など、キャラクターづくりも大事です。「この人の部屋好き」とか、「雰囲気いいよね、この人」など恋愛的に好感をもってもらうのか、それともめちゃくちゃ部屋が汚くて、「この人キモい。でも面白い」と好きになってもらうのかで、演出が変わってきます。

また、**動画のはじまりの挨拶も大事**です。ヒカキンさんは**「ブンブン、ハロー、Youtube」**と言っていますが、マネしやすくて印象に残りますよね。

そして、**噂されやすいイメージをもってもらうことが大事**です。見てくれた人が友達に動画を説明するときに、「この人いいよ。●●●●な人が●●している動画なの」と**10秒で説明できるようなイメージをつける**ことが大事です。

そのためには、**何者なのかが一発でわかる単語をつけましょう。**学生、社長、先生、博士、ニート、陰キャ、陽キャなどなど。**ひとつの単語でキャラクターのイメージが決まります。**

例えば、元警察官だとしたら、まじめなかっちりとしたイメージになりますよね。**一言で形容されやすくて印象に残りやすいキャラづくり**をしていきましょう。

また、一度キャラクターを決めたら、結果が出なかったとしても**少なくとも2～3か月はやり続けることが大事**です。キャラクターを認知してもらうのにはある程度時間がかかります。

5．動画の長さ、更新頻度

動画の長さは、どんな動画スタイルか、どんな人に見てほしいかによって違います。
例えば、**忙しいビジネスパーソン向けに英会話の動画**を作ろうと思ったら、「1分で学べる英会話」と「30分で英語を学ぼう」という動画なら、**1分のほうが見てもらいやすいです。**

逆に、**時間がある人向けの動画なら、長めの動画**でいいと思います。

ターゲットが**どんなシチュエーションで見るのかを考える**のもいいですね。
お風呂で見てほしいのか、通勤時間に見てほしいのか、それによって配信時間も変える必要があります。

また、**動画の更新頻度としては多ければ多いほどいい**です。

クリエイターの場合は**1日1本が当たり前**で、1週間に2本だとアカウントのファンが「ちょっと遅いな」と感じるような温度感です。

シンプルに、動画の本数は多ければ多いほど、バズるまでのスピード、フォロワーが増えるスピードが早いです。

例えば、1日1本投稿しているアカウントと1日10本投稿しているアカウントだとしたら、**スピードは10倍違います。**

3か月後にフォロワー5000人を目指すのか、5万人を目指すのかですよね。

1~3日に1本くらいがのぞましいですが、SNSに力を入れるとけっこう時間を取られます。

動画の企画を考えて撮影し編集してアップロードするのに、初心者なら**1本で5~6時間くらいかかります。**

本業をしながら続けていくのはなかなか厳しいので、工数を考えると外注を考えてもいいと思います。

動画の内容にもよりますが、**1本3~5万円くらいで依頼できます。**プロに頼めば、

20本分くらいの動画の企画や撮影・編集・アップロードまでしてもらえます。

6. ハッシュタグ

ＴｉｋＴｏｋは、**ハッシュタグを3つまで付けておきましょう。**

ただ、ＴｉｋＴｏｋの場合はハッシュタグをつけなくても、動画に何が映っているかをＡＩが判断し、それが好きな人たちに流れていくアルゴリズムなんです。

例えば、ギターを演奏している動画なら、ギターの動画を見ている人たちに流れていきます。

そのため、動画のターゲットが好きなものをわかっている場合は、あえて背景に映りこませることも大事です。

7. サムネイル

サムネイルは、**顔を中心にして映える写真や、引きのいいタイトル**をつけましょう。タイトルは、何の動画かわかりやすいといいです。

ネタバレをしないタイトルがいいか、ネタバレをしたほうがいいかは、動画の内容によって違います。

例えば、収益公開など数字が気になる内容なら、タイトルではネタバレしないほうがいいですし、「1か月食費1000円で過ごした結果」というタイトルなら、「どうなったんだろう」と結果が気になり見たくなります。

サムネイルはとても大事なので、**動画の企画を立てるときはサムネイルから決めることが多い**です。

面白いサムネイルが思いつかない企画は、企画自体が面白くないということです。

サムネイルのテキスト10~15文字ほどをみて、「面白そう」と思われないと動画も見られません。

また、ランキング系や講座系などの動画に多い方法として、「動画を見ないと損だ」と思わせることも大事です。

例えば、家の火災保険の契約につなげたい動画だとします。

ひとつは、「10年後、こんな素敵な部屋に暮らせるように、生活が潤うために保険をかけましょう」というアプローチ。

もうひとつは、「火事にならない、命に危険が及ばないために保険をかけましょう」という打ち出し。この場合、後者のほうが契約につながりやすいです。

「あなたが不幸にならないためにこれを知っておいたほうがいいよ」というネガ

バイオリニストが星のカービィのBGM・効果音を再現する動画(3:00か...

https://youtu.be/I1Pb17nZIWE

ティブな訴求のほうが見られることもあります。

そして、サムネイルは**絵力があって迫力があることも大事**です。

たとえば、次のサムネイルはYoutubeの例です。

ただバイオリンを弾いているのではなく、**ゲームのキャラに扮してバイオリンを弾いていることがポイント**です。

「この人、何者なんだろう」と思わせることで、興味をひいています。

ほかには、何か食べ物を食べる動画なら、料理を巨大にしたり、小さくしたりするのもインパクトがあります。絵で見て、「面白そうだな」と思われると見られやすいです。

TikTokをバズらせる方法9選

1. フォロワー1000人以下でバズっている動画を探す
2. トレンドを追う。トレンドが終わりそうなときは改造する
3. リアルを取り入れる
4. 最初の3秒で心をつかむ
5. コメントしやすい動画づくり
6. ビフォー・アフター動画
7. 動画のはじめにプロフィールを説明する
8. 替え歌にして共感を集める
9. 「あるある系」を取り入れる

1. フォロワー1000人以下でバズっている動画を探す

フォロワー1000人以下でバズっている動画を探して動画のスタイルを参考にし

てみましょう。視聴回数が多いと、動画の内容ではなくフォロワー数が多いだけの場合もあるので、**フォロワー数が少ないアカウントを探すことがポイント**です。

動画を探すときは、ＴｉｋＴｏｋの検索窓で例えば「洋服」と検索をしてみます。バズっている動画が注目として出てくるので、**動画の再生数とアカウントのフォロワー数を確認**してみてください。

例えば、女性が顔出ししていて「どケチ女子大生の私がよく買う洋服ブランド」という動画がバズっているとします。このスタイルを真似るなら、男性が顔出しして「どケチ男子大学生の俺がよく買うブランド」みたいな動画はバズりやすいです。

2. トレンドを追う。トレンドが終わりそうなときは改造する

フォロワー数が50万人以上の人たちが投稿しているものがトレンドになっていきます。そのトレンドを追って、自分も実践することが大事です。

そうでないとなかなか再生数を伸ばすことはできないんです。

トレンドに乗っていくと、トレンドの動画に近い要素が自分の動画に含まれるので、TikTokの「おすすめ」に乗りやすくなり、そこで多く視聴されれば、さらに「おすすめ」に出る頻度が高くなるからです。

新たなトレンドをつくろうと誰もやっていないことをしても、「おすすめ」に流れていかないので見てもらうことができないんです。

https://vt.tiktok.com/ZSR6peD3M/?k=1

こういったことをお話しすると、「私はそういう人たちの真似をしたくない。俺は違うことをやりたい」という人もいます。気持ちはわかりますが、**TikTokのシ**

ステム上、トレンドを追わないと動画が見られにくいです。

最近の流行を流していくのがＴｉｋＴｏｋなので、**そのシステムを理解しないと、誰の「おすすめ」にも流れていかない動画になってしまいます。**

トレンドの曲を見つける方法は、「おすすめ」に流れた動画を確認すると、右下に何の楽曲が使われているかがわかります。有名な曲が使われている場合は、動画を作るときにその楽曲を使うと「おすすめ」に乗りやすくなります。

また、海外でブームになり、日本でも流行る動画もあります。海外のトレンドを知りたい場合は、**「設定とプライバシー＞言語＞優先言語」**を選び、気になる国の言葉を追加しましょう。

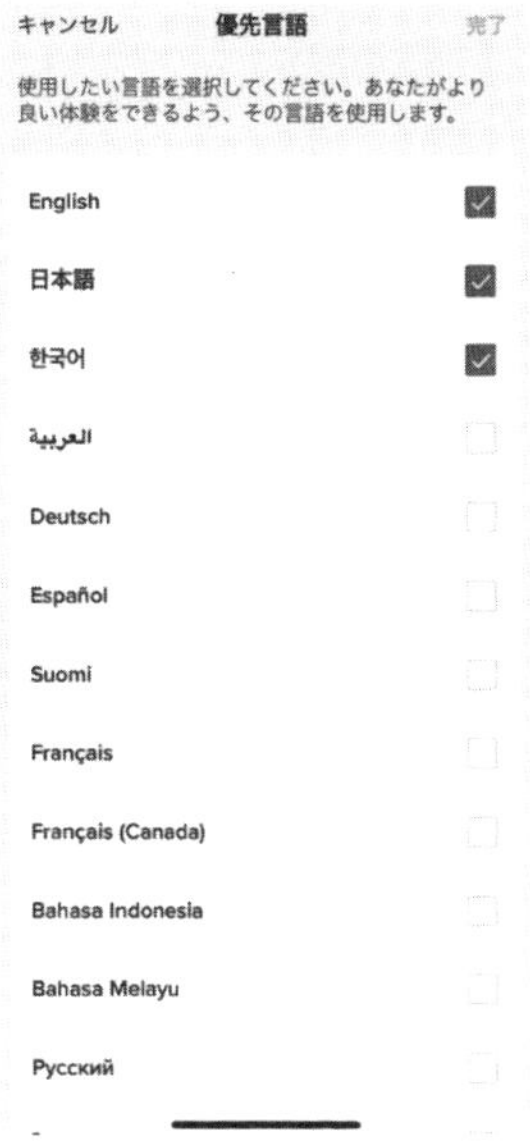

優先言語の設定画面

トレンドが終盤になってきたら、**改造するのも大事**です。例えば、何かの曲に合わせた動画がトレンドになって少し時間が経ったら、ただ踊るのではなく何かの上でダンスしてみたり、途中の振付けを少し変えてみたりするんです。

見ている人たちが**トレンドを見飽きている頃**なので、少し変えることが大事です。

3．リアルを取り入れる

リアルを取り入れる方法は、街中で撮影したものに字幕を付けずに投稿するなど、**すぐ撮影して投稿した雰囲気を出す方法**です。

例えば、僕が4年前に投稿した「街中でライオ

https://vt.tiktok.com/ZS8MhYyKW/

ンを発見」という投稿があります。

表参道を歩いていたらライオンがいたんです。でも、よく見たら、ふわふわの帽子をかぶった犬なんですよね。

こんな風に、**「街中で○○を発見」とか、リアルな風景やアクシデントを意図的につくって、動画にする**のも再生数が伸びます。


また、美容系の会社のアカウントを運用した事例です。

まず、女性のアカウントを作成し、顔を半分だけ映して、**「お姉ちゃんに寝取られました。立ち直ることができません。どうすればいいでしょうか」**という動画をあげたところ、160万回再生になりました。

アカウントのフォロワーが一気に1万人増えて、10日後ぐらいに、「やっと立ち直りました。会社に就職しました」と美容系の会社に就職したという設定にして、**美容系の会社のアカウントとして運用**したこともあります。

4. 最初の3秒で心をつかむ

動画を見た人が、面白いか面白くないかを判断する時間は約3秒と言われています。実際にバズっていない動画の視聴時間を確認してみると、平均2~3秒しか再生されていません。

2秒、3秒で興味をもってもらえない動画はバズりません。

3秒で心をつかめたら、次の3秒も見てくれます。しかし、その後の3秒が面白くないとスキップされるので、2~3秒ごとに興味をひく工夫が必要です。

物語は起承転結が大事といいますが、ショートムービーでは、**承と転を抜いた、起と結だけで動画が終わるくらいのスピード感が求められます**。起と結だけの面白い10秒の動画ができればループされやすいです。

5．コメントしやすい動画づくり

ＴｉｋＴｏｋでは再生時間が評価されます。動画を見ている人がコメント欄を見たり、書き込んでいたりする時間も、バックグランドで動画がループされているので、**コメントが集まっている動画はバズりやすくなります。**

例えば、プラスティックのコップを人差し指に載せて、バランスを取るという動画があるとします。

バランスがとれたら成功なんですが、実は見えるか見えないかぐらいの糸で上から引っ張っています。こんなふうに仕掛けをしておくと、気づいた人がコメント欄に「糸が見えてる」などとツッコミを書きやすいんですよね。

どんなコメントを書いてほしいかを想定して動画を作るかということも重要です。

6．ビフォー・アフター動画

ビフォーを見せるとアフターが見たくなる心理を活用して、動画の再生時間を長くする方法です。

私がコンサルティングをしているアカウントで、50万回再生以上になった動画です。

まず、ドリフト歴10年の人が自転車でドリフトをする動画が流れます。次に、ドリフト歴0年の人の動画を流す。

10年の人がうまいだろうと思ったら、**0年の人のほうがうまかったという動画**です。

一般的なビフォー・アフター動画の**逆パターン**

https://vt.tiktok.com/ZS8Mh1f7t/

です。

こうしたビフォー・アフターは面白ければ、コメントもつきやすいです。

ビフォー・アフターは、**コスプレ系・メイク系は特にやりやすい**です。ビフォーがやばいほど、アフターの変化の幅が大きいのでバズりやすいです。

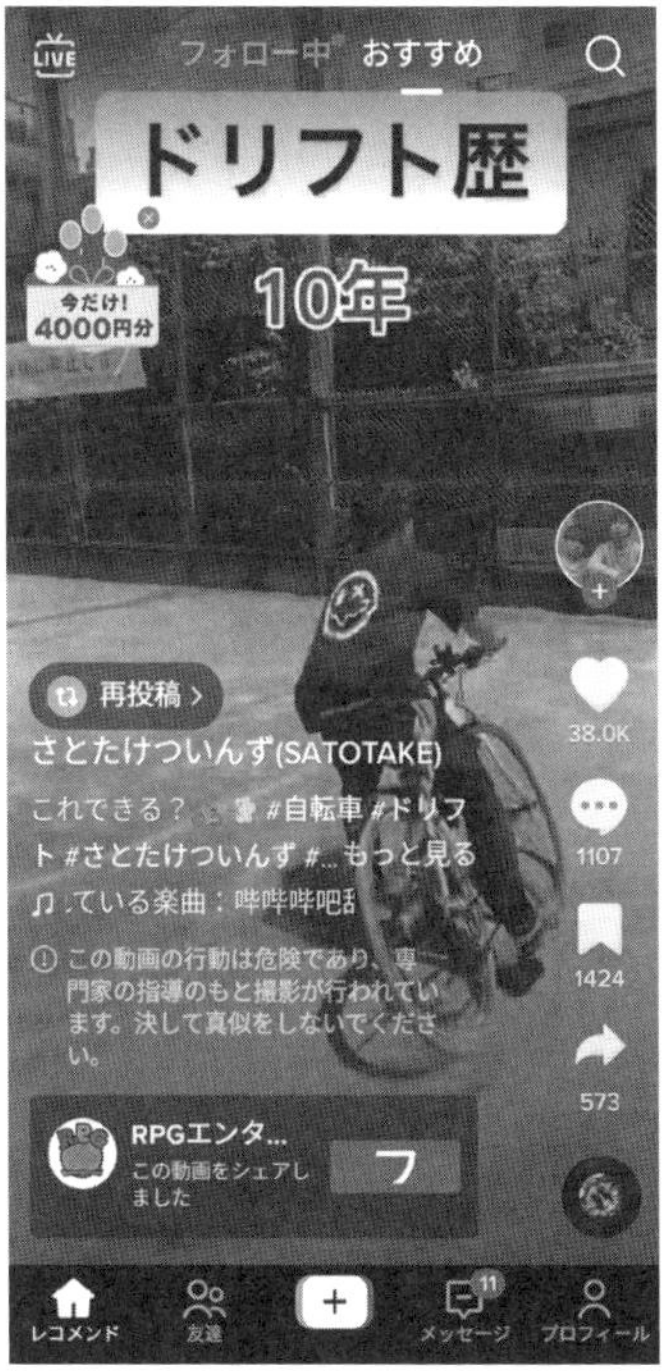

https://vt.tiktok.com/ZS8Mh1f7t/

7. 動画のはじめにプロフィールを説明する

「今日は○○していきます」と始まる動画より、**「僕は●●●に住む●●●です。今日は●●をします」**と始めたほうが、キャラクターが結びつくので、面白い動画になるんです。

例えば、単なる「カフェの店長」ではなく、**「僕は借金1000万円あるカフェの店長」**のほうが、共感や話題を生みます。

ギャップのあるプロフィールをつくることが大事です。

8．替え歌にして共感を集める

みんなが知っていてTikTokでトレンドになっている曲に、面白い歌詞をつけていく替え歌の動画は受けやすいです。

次のアカウントでは、「実は女子に嫌われる男子の特徴」をキューティーハニーの曲にのせて、歌っています。

https://vt.tiktok.com/ZSR6sLkuv/?k=1

特に大事なのは、アレンジする曲をトレンドから選ぶことです。**トレンドの曲は、楽曲を動画に紐づけられ、動画が「おすすめ」に流れていきやすい**です。

9.「あるある系」を取り入れる

共感されやすいのは、**「あるある系」の動画**です。

「男子だったら」「女子だったら」「居酒屋だったら」「カラオケ屋だったら」こういうことあるよねと共感しやすい動画には、ハートが集まりやすく、コメントも増えやすいです。

先ほど紹介した動画は、「あるある系」の要素も取り入れています。

企業のアカウントでは、「あるある系」の動画を投稿することが多いです。

フォロワー数を増やし、ブームをつくり出すには

フォロワーを伸ばす秘訣は、**1万人までは「あるある系」など共感できる動画**を多く投稿していくことです。

10万人までは、**100万人以上のフォロワーがいるアカウントが投稿しているトレンドの動画**を組み合わせていきます。

さらに、**100万人を狙うなら、ブームを起こす必要があります。**

ブームを起こすことは誰もができるわけではなく、登場している人の根本的な素質である容姿や身体能力、特技などの要素が必要です。

ただし、一般の方や企業アカウントでも、10万人のフォロワーは十分狙えます。

例えば、33万5000人のフォロワーがいるコンタクトレンズの会社のアカウントがあります。

こちらの算数のクイズのような動画は、840万回以上再生されています。

こうした動画があると、一度この動画を見た人のところには、このアカウントの別の動画もおすすめで流れてきやすくなります。

共感されやすい動画を流し、そのあとの動画で商品を出すようにすると、自社商品の認知度も高めることができるんです。

https://vt.tiktok.com/ZSRKkWTJX/

ブームをつくり出すには、1か月から半年は続けること

ブームをつくり出すには、1つのキャラクターを1か月から半年は続けていくことです。発信し続けることで、だんだん認知が広がっていきます。

キャラ、動画のコンテンツが十分に知れ渡ることがブームの始まりなので、まずは認知を獲得するためにやり続けましょう。

そして、誰もやっていないことをやるのも大事です。

また、そのブームを見たほかの誰かが、真似して同じ動画を作れるようなものであることも重要なんです。

また、ブームを起こすためには、言葉で印象づけることも大事です。例えば、お笑い芸人さんの「そんなの関係ねぇ」のように、**インパクトを残す決め台詞をつくる**のもおすすめです。

第4章

企業がTikTokを活用するときの注意点

企業がTikTok動画の運用をするときの準備

企業がTikTokを活用するときの準備や注意点を説明します。

やってしまいがちなのは、商品を一方的に紹介する動画を投稿してしまうこと。こういった動画は基本的に伸びません。

なぜかというと、TikTokでは自然なやり取りや、「今日は●●をやっています」という動画が大半なので、**広告っぽいものが流れてくると瞬間的に離脱されてしまう**からです。

例えば、小さな飲食店さんだとしたら、どうしても食事を宣伝しようとしがちです。「今日は何食べてるの?」「豚の煮込みです」「この豚の煮込みは一晩漬けていて……」などと解説したりする。

でも、たまたまその動画を見た人にとっては、料理のこだわりはどうでもいいんです。

それよりも、「この人たちのやりとりが好きなんだよな」って思えるような、働いている人たちのなにげない日常を出すのが一番好まれます。結局、**人を知ってもらってファンになってもらうのが近道です。**

例えば、登場人物が2人いて、上司が水風船をどこまで膨らませるかチャレンジするとか、会社の日常的な風景を少し面白おかしく見せるというパターンです。

こうした日常的な動画を出すときには、実は演技力も必要です。女性でも男性でもいいのですが、**表情豊かな人がバズります。**棒読みじゃなく、ちゃんと感情をこめて話せる人がいいです。

ほかには、**「居酒屋の料理人が教える、家でできる居酒屋料理」**みたいな動画はバズりやすいです。

料理人がつくり方を説明することで、人となりも伝わり、「こんなお店があるんだ」「この店長さん面白くて好きかも」と興味をもってもらいやすいです。

もし、演技力に自信がない場合は、**やりやすいのはダンス系**です。

以前も流行りましたが、例えばホテルの従業員さんが4～5人ほどの団体で踊っているもの基本的に伸びやすいです。トレンドの曲で踊っていると、コメントもつきやすいので再生時間をのばすことにもつながります。

ただ、初めて動画を投稿すると、「コメントであれこれ書かれてしまうのが気になる」という人もいるかもしれません。

しかし、**コメントがついたほうが視聴時間は伸びますし、動画もバズりやすくなる**ので、前向きにとらえられるといいと思います。

逆に何のコメントもつかない動画は、なんとも思われていないので再生数が伸びずに終わってしまいます。

企業アカウントの動画は「あるある系」が取り組みやすい

動画のテーマは、**「あるある系」の動画が取り組みやすい**と思います。

靴屋さんなら、靴の知識やノウハウ、パン屋さんなら「パン屋さんあるある」などです。

「パン屋さんは朝4時に起きるんだよ」から始まって、何時から何時にこの作業をしてなど、1日のスケジュールを紹介していくのもいいと思います。その内容を字幕付きで、トレンドの曲にのせて感情豊かに伝えていきます。

内製・外注それぞれのメリット、デメリットは？

いざＴｉｋＴｏｋを始めようと思っても、自分たちでつくれるか心配だったり、本業がほかにあって担当者の方が時間を取れなかったりすることもあると思います。

その場合は、**ＴｉｋＴｏｋの運用を外注する**という選択肢もあります。

そこで、ＴｉｋＴｏｋを内製した場合と外注した場合のメリット・デメリットについて説明します。

内製は費用がかからないが、結果を出す難易度はかなり高い

内製するメリットは、**費用がかからない**ことです。

ただ、自分たちで企画や撮影、編集を手探りでやらなきゃいけないので、**結果を出すのはなかなか難しい**です。TikTokのアカウントで1年動画を投稿し続けても、フォロワー数が1000人を超えないことはざらにあります。

少し大げさに言うなら、北極にTシャツ1枚で行くくらい無防備な状態です。

多くの場合、いろいろ試してみたものの結果が出ずに、途中で終わってしまうことが多いです。

もし、社員でTikTokの運用のセンスがある人がいたら成功する可能性もありますが、属人的になってしまいますし、その方がいなくなってしまったら運用し続けることが難しいです。

外注は費用がかかるが、時間の削減ができ結果を出しやすい

外注するメリットは、**ＴｉｋＴｏｋの運用にかける時間を削減できる**ことです。

ＴｉｋＴｏｋの運用会社はこれまでの**バズったデータや企画を知っている**ので、依頼元の企業さんが**自分たちでリサーチする必要がありません。**

また、撮影する際のバズる画角や、セリフとセリフの間の編集など、細かなことも最初から教えてもらって始められるので、**80％くらいのクオリティを最初から確保できます。**手探りで模索していく必要がありません。

どんな面白い動画でもクオリティが80％を超えていないと再生されないので、ある程度のクオリティを担保できることもメリットです。

ＲＰＧ社のＴｉｋＴｏｋ運用・コンサルティングとは

私たちＲＰＧ社は、法人のアカウントの運用実績が30以上あり、30万人以上のフォ

ロワーがいるアカウントもあります。フォロワー数が1000を超えないことはまずありません。

TikTokの**企画・撮影・編集すべてを運用するパターン**と、基本的には**企業さんが運用して私たちがコンサルティングをしていくパターン**があります。

アカウントの詳細はお客様都合で伝えられませんが、テーマパークのお客様のアカウントを、**フォロワー数100人から4万人に増やした事例**もあります。

このときは、トレンドの楽曲を使って、海外でバズったループ動画を参考にして動画を制作しました。

ほかには、私たちの会社にはパフォーマーが所属しており、**タレントをキャスティングした動画を撮影することも可能**なので、**バラエティ豊かな動画制作が可能**です。

フォロワー数40万人のアカウント事例

実際に、私たちがアドバイスをしている企業様のアカウントの一部の動画事例を紹介します。

車屋のお客様で、**フォロワー数は40万人。**次に紹介する**動画は200万回再生**されました。

この動画は、店員さんが窓を拭いているところに、上から水鉄砲を使って窓に水をつけていくというイタズラ動画です。

店員さんは「あれ？おかしいな？」と思いながらも窓拭きをずっとし

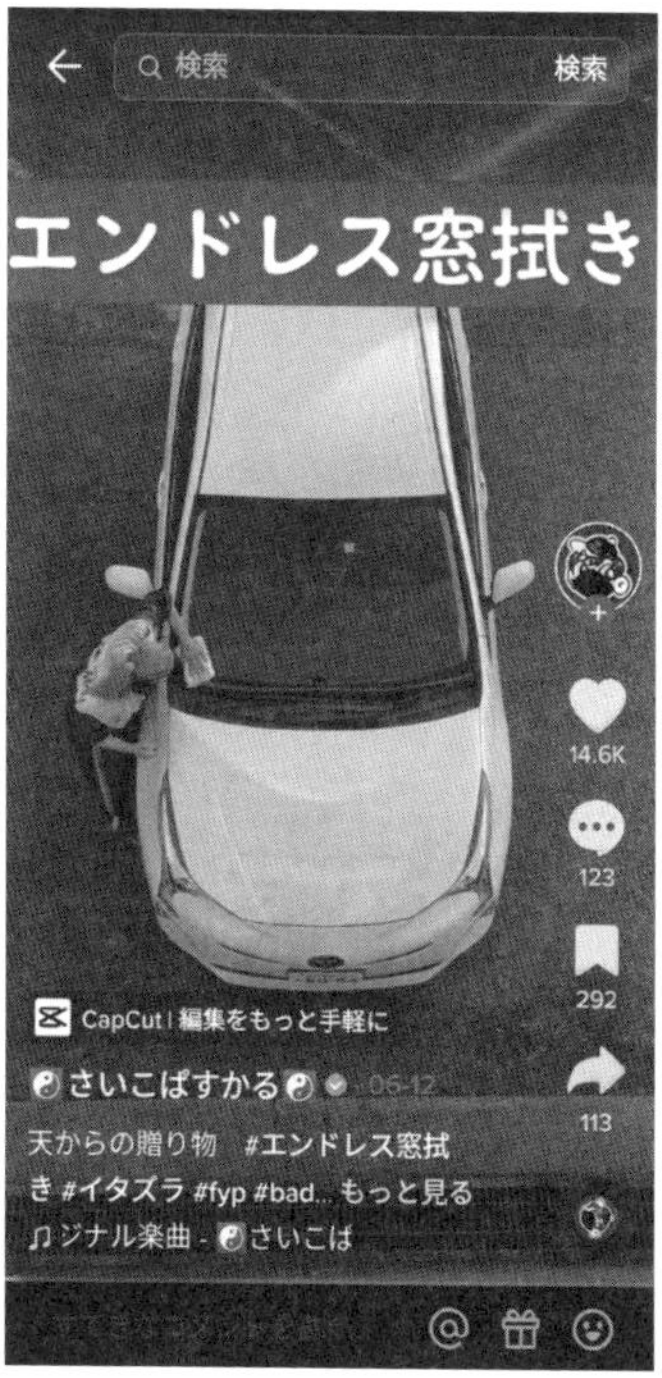

https://vt.tiktok.com/ZS8Mh8XkN/

ているので、**エンドレス窓拭き**というタイトルがついています。

こんな風に、日常のいたずら風景やドッキリなどの企画で、社員さんたちが楽しんでいる仕事風景を撮影しています。

私たちは、企画の提案や台本づくり、演技指導などをお手伝いしています。

第5章

コンサルティング10の実例。どうやってバズった？

私たちがコンサルティングをした個人や法人の方10組に、どうやってバズったのかを聞きました。これからTikTokを始めようと考えている人の参考になる話をいろいろと聞くことができました。

さいこぱすかる（オイルマン陽光台店）

Akane

GAKU（岳）

ゆーりん（ち）

チエロ@本紹介する社長

じゅん／JUN

バイオリン侍おっくん（Youtuber）

ゆーたん8929

じーつー@恋愛ラッパー

奇跡

【バズった方々①】さいこぱすかる（オイルマン陽光台店）

踊れなくても歌えなくても20万フォロワー、４４０万回再生！社内ネタで魅せて、広告費をかけずに店の宣伝に成功！

バズった方々 ①

さいこぱすかる
（オイルマン陽光台店）

https://www.tiktok.com/@psychopathcal

【コンサルティング内容】

■**出演者に関するアドバイス**

出演者になるべく**女性を出していただくこと。男性だけの動画は伸びにくい**ためです。

そして、マスクをつける人を入れて、**謎の雰囲気を演出すること**。TikTokはすべてをさらけ出すより少し謎を残したほうが伸びやすいです。

■**公式マークの取得**

歌を出すことで**アーティスト認定が通り、マークがつくという仕組み**になっています。日頃から**アーティスト感を出すため、ラップの歌をつくる**ことをアドバイスしました。

具体的には、曲の作り方や歌詞の入れ方なども伝えました。

◎ＴｉｋＴｏｋアカウント運用の目的

当店はオイルマン陽光台店という車のオイル交換専門店を営んでおります。当店を知ってもらうために活用しています。

当店を知ってもらいたいのに、**広告費にかけるお金がない、でも知ってもらいたい……。**

この矛盾を解決してくれたのがＴｉｋＴｏｋです。

◎アカウントのコンセプトやキャラクターづくりで、気をつけていること

ＳＮＳでの企業宣伝ほどつまらないものはありません。

そのため、当店のＳＮＳはお店の宣伝はほとんどせず、制服を着用していますが、車屋さんとは関係のないネタを披露し、その中で気になった方が当店を調べてもらう流れをつくっています。

◎運用期間

1年6か月

◎投稿内容

社内の和気あいあいとした動画や、社長がもてあそばれる動画など、エンターテインメント的なものを中心に投稿しています。

◎TikTokで苦労したこと

今までやったことがないことなので、役柄や撮影の画角など現在も常に苦労しています。

◎特にバズった動画

【遂に壊れました（勘違いシリーズ）】

TikTokが長編になった頃に、僕たちが長編動画として出した1本です。洗濯機を買いにいかせたらとんでもないものを買ってきたという寸劇です。2分50秒の動画です。

TikTokが10分尺に変わった時点で長編動画がウケるかもしれないと思い、とあるYouTuberさんのネタの雰囲気をイメージし

https://www.tiktok.com/@psychopathcal/video/7112370303178673409?is_from_webapp=1&sender_device=pc&web_id=6980223865780471298

て制作しました。

その結果、440万回再生を出すことができました。

◎コンサルを受けてよかったこと

数々の疑問を迅速に解決してくださり、アドバイスの結果、公式マークの取得もできました。

関係の皆様には大変感謝しております。

正確な効果の計測は難しいのですが、**20万人フォロワーの時点で、月に40件ほど注文が増えました。**

◎TikTokをおすすめする人

本気で取り組めばTikTokは、タダで宣伝できるとても素晴らしい媒体だと思います。

企業の方、何かの宣伝をしていきたい方などにおすすめしたいです。

◎これからＴｉｋＴｏｋの活用を考えている人へのアドバイス

従来のＴｉｋＴｏｋは可愛いカッコいい人が踊ったりしているものでしたが、今のＴｉｋＴｏｋはドンドン変わり、エンターテインメント化していて、色々な人が輝けます。

踊れなくても歌えなくても、何かすごいものがつくれなくても、いろいろな可能性がありバズります！

【バズった方々②】GAKU（岳）

ジャグリングとドラム演奏を融合させたパフォーマンスでフォロワー370万人！　海外のテレビにも出演！

バズった方々 ②

GAKU (岳)

Juggling drummer

https://www.tiktok.com/
@jugglingdrummergaku?_t=8VZ4mxLGqyw&_r=1

【コンサルティング内容】

■ブランディング

当初はTシャツで演奏している動画を出していましたが、実際にパフォーマンスを依頼されたときの衣装で撮影したほうがいいとアドバイスしました。

■海外へのリーチ

確かな技術のある人なので、**Tiktok で海外にリーチする方法**をアドバイスしました。具体的には、海外でバズっている曲を演奏して紐づけることで、それぞれの国でおすすめされやすくなります。実際に海外でバズってフォロワーも増え、90%ぐらいは海外フォロワーです。

現在はシドニー在住で、オーストラリアのゴッドタレントへの出演も果たしました。出演の決め手のひとつとして、TikTok のフォロワー数が多いことも有利に働いたと思います。

◎ＴｉｋＴｏｋアカウント運用の目的

ジャグリングドラムを有名にすればパフォーマンスの仕事が来て、「ジャグリングドラムの人だ！」と認知されれば、大道芸で人が集まりやすくなるかなと思いました。将来はパフォーマーになりたく、フォロワーが多いと「すごいパフォーマーなのかな？」と思われるのではと考えました。ＴｉｋＴｏｋはその手助けになればいいなと思い、運用を始めました。

◎アカウントのコンセプトやキャラクターづくりで、気をつけていること

世界的なパフォーマーになりたいので、**海外の人でも伝わるように言葉を使わないこと**、ジャグリングの要素を入れることを意識しています。

◎運用期間

２年以上（２０２０年６月に開始）

◎投稿内容

流行っている曲に合わせて演奏したり、パフォーマンス動画の真似をしたりする動画です。

◎ＴｉｋＴｏｋで苦労したこと

ドラムを使った撮影になるので、週に１回音楽スタジオをレンタルして１週間分の動画を撮りだめしていました。ドラムの運搬から準備、片付け、撮影など全部１人だったので大変でした。

◎特にバズった動画

【ジャグリングドラム】

ほかのパフォーマーさんを真似する動画をシリーズ化しています。その中でもＴｉｋＴｏｋをはじめ、ほかの媒体でもバズった思い出の動画です。

https://vt.tiktok.com/ZSR5vq8UG/

◎コンサルを受けてよかったこと

事務所に入る数か月前からＴｉｋＴｏｋを始めていて、当時は日本人向けに喋ってドラムを叩いてオチを言う動画をいくつか投稿していましたが、事務所では**海外向けにシフトチェンジすること、衣装や撮影の画角**など、細かく教えてもらいました。

海外向けの動画は、最初の1か月半ほどは鳴かず飛ばずでしたが、流行をきっちり押さえて見せ方を工夫して、バズらせることができました。

◎ＴｉｋＴｏｋをおすすめする人

コアなファンをつくるというよりは、**知名度を上げるのに特化した媒体**だと思っています。駆け出しのＹｏｕｔｕｂｅｒのように、ＴｉｋＴｏｋを利用して知名度を上げたい人にはかなり有効です。

◎これからＴｉｋＴｏｋの活用を考えている人へのアドバイス

ＴｉｋＴｏｋで動画をバズらせたい！　フォロワーを増やしたい！　と思っても最初はなかなかうまくいかないものです。継続できない人はバズらないので、「継続は力なり」というのは動画クリエーターのためにつくられた言葉なのかもしれません。（絶対違う）

【バズった方々③】チエロ＠本紹介する社長

「知識」と「学び」の動画を発信 おすすめ本を紹介して4万フォロワーを獲得！

バズった方々③

チエロ＠本紹介する社長

https://vt.tiktok.com/ZSTvdJ3e/

【コンサルティング内容】

■出演者に関するアドバイス

帽子とメガネをつけることによって、魔法使いに見えるようなキャラクターづくりをアドバイスしました。

動画が全体的に暗かったので、**一番明るいライトを購入**してもらいました。

■コンテンツの工夫

本を紹介していくだけじゃなくノウハウやビジネス知識を誰かに教える**「やりとり系動画」**も取り入れていくように勧めました。

動画や絵を取り入れると、それだけで人の手は止まりやすく試聴時間が稼げるので、**ニュースや時事ネタも動画や絵を取り入れてつくる**ようアドバイスしました。

◎TikTokアカウント運用の目的

人は幸せであるべきだと考えており、人生において**選択肢が多いことが幸せにつながる**と信じています。

その選択肢を増やすために知識が必要だと考えていて、その知識を多くの人が得るひとつの手段として本を紹介しています。

TikTokをスタートしたきっかけは本好き、喋るのが好きという**自分の「好き」が起点**になっています。

◎アカウントのコンセプトやキャラクターづくりで、気をつけていること

「絵として描いたときに誰かわかるか?」というアドバイスはかなり刺さっています。

ショート動画という一瞬が左右するSNSで「いかに印象に残すか?」という考え方を学びました。

◎運用期間

2年ほど

◎投稿内容

知識や学びを増やすための手段、ノウハウを発信をしています。

本の紹介をメインとして、動画や教材などよいものを紹介する投稿がコンセプトとなっています。

https://www.tiktok.com/@chiero_piero/video/6836667678372007170?is_from_webapp=1&sender_device=pc&web_id=7057769373747430914

◎TikTokで苦労したこと

背景をいかにつくり込むかに苦労しました。

映像でみると、自分自身より背景が占める割合が高いので、いかにそれっぽさとキャラクターに合った印象と権威性を残せるかを日々考えています。

◎特にバズった動画

【学生時代に読んでいたかったおすすめ3冊】

「もっと若い頃に読んでいたら人生変わったな」と僕が確信している書籍を3つ紹介しています。

○『影響力の武器　なぜ、人は動かされるのか』（ロバート・B・チャルディーニ著）

○『思考の整理学』（外山滋比古著）

○『コンフォートゾーンの作り方～図解TPIEプログラム～』（苫米地英人著）

どれも本当におすすめです。

◎コンサルを受けてよかったこと

抽象的な考え方から、実際の仕事に活かすまでの導線、最新トレンドの情報など幅広く学ばせていただきました。最も大きかったことは**基準値を上げていただいたこと**かなと。

ＴｉｋＴｏｋやショート動画で伸びる人が当たり前にしている**撮影や編集に関する基準**を得られたことも大きかったと思います。

◎ＴｉｋＴｏｋをおすすめする人

弱い人におすすめです。

「これから影響力を持ちたい！」と考えたときに。ほかのＳＮＳと比べて初心者でも伸びやすいです。

◎これからＴｉｋＴｏｋの活用を考えている人へのアドバイス

まず、自分の好きなものをアップしてみてください！

小さく早く失敗して、改善する。この繰り返しがバズるための最短距離だと思います！

【バズった方々④】バイオリン侍おっくん（Youtuber）

バイオリンによる一人多重奏やゲーム音の再現で話題にゲームキャラのコスプレでフォロワー26万人！

バズった方々 ④

バイオリン侍おっくん

(YouTuber)

https://www.tiktok.com/@violinist_crazy?_t=8XPyTlsUXuT&_r=1

【コンサルティング内容】

■コスプレして演奏する

まじめに演奏をしている動画を上げていたので、**ゲームのキャラのコスプレ**をして演奏するという動画を勧めました。ゲームにからめると、**ゲーム好きな人にも見てもらえる**からです。

一般の人たちが興味のあることを伝えていきました。

■オリジナリティを出すためにまずは真似ること

自分にしかないもの、自分だけができるもの、ほかの人がやっていないことを見つけて、とにかく動画にして投稿してみたら、とアドバイスしました。そのためにまずは、同じ系統の動画で**バズっているものをたくさん見て真似をする**ことを勧めました。

◎TikTokアカウント運用の目的

YouTuberとして活動しているので、TikTokは**自分のことを知らない層に知ってもらう**ことを目的にしています。

また、TikTokは**いつでも海外アカウントに変えられます。**いずれ海外での活動を視野に入れているので、その準備として運用しています。

◎アカウントのコンセプトやキャラクターづくりで、気をつけていること

ギャップです。クオリティの低い見ためと、ちゃんとした演奏を心がけています。

◎運用期間

2年ほど

◎投稿内容

最初は本気の演奏動画で、音をどんどん重ねていました。

２０２１年頃からコスプレで演奏する内容に変え、Ｙｏｕｔｕｂｅも本格的に伸びていきました。

https://vt.tiktok.com/ZSR5ToJaY/

◎ＴｉｋＴｏｋで苦労したこと

投稿するごとに何をやるかを企画して準備し、クオリティを保ちつつ、コンスタントにアップしていくのは正直しんどかったです。

周りのＴｉｋＴｏｋをやっている人たちは毎日投稿していましたが、音楽系ではほぼ無理だなと悟りました。

◎特にバズった動画

【その場で録音して重ねる】

【バイオリンで初代マリオ再現】

海外でも伸びた本気の演奏動画と、海外でも伸びたコスプレ演奏動画です。

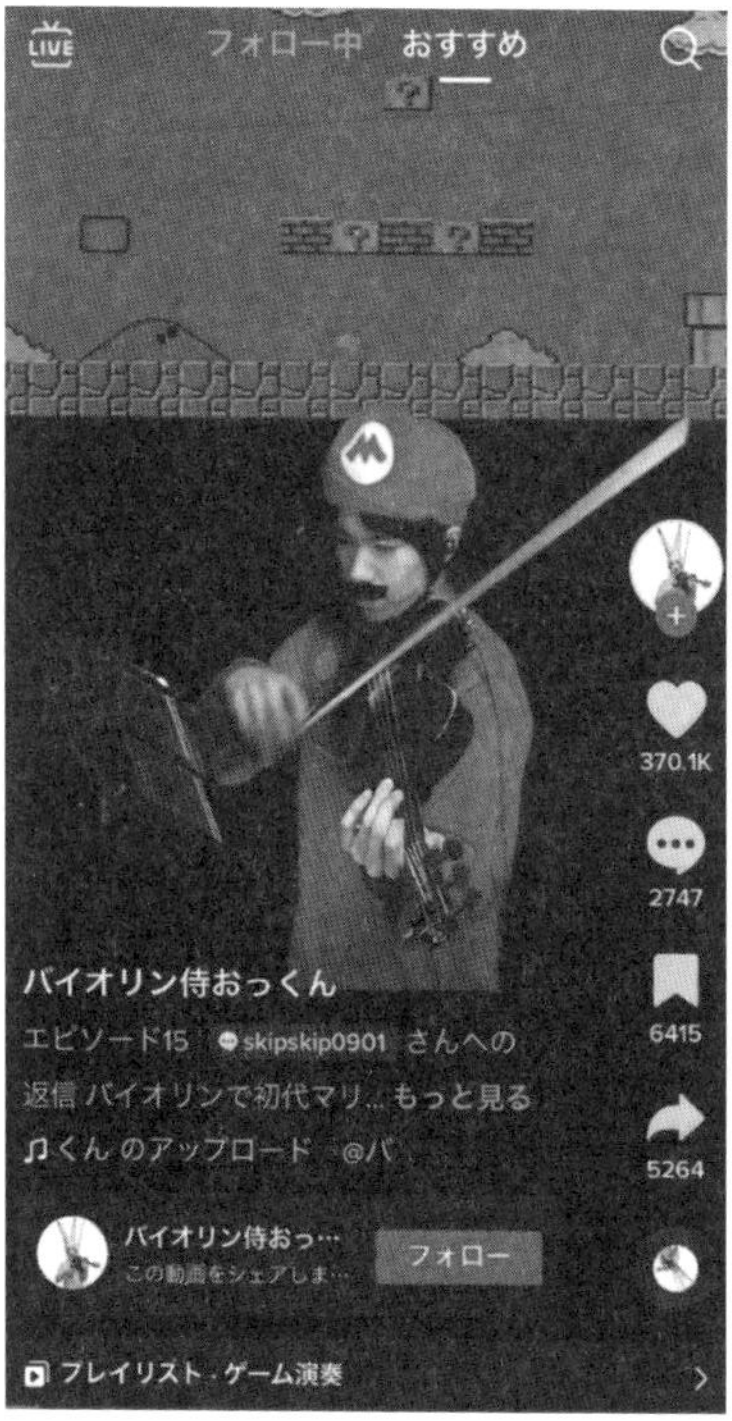

https://vt.tiktok.com/ZSR5Tc7qY/

◎コンサルを受けてよかったこと

前の自分では考えられないほどバズりました。しかも1回ではなく何度も。これは1人では絶対に無理なことでした。

また、コンサルを受けて**「一般人の人たちは何を求めているのか?」**がわかってきました。

これも教えられなかったら、わからなかったことです。

◎TikTokをおすすめする人

漠然と何かを表現したい人にとって最適です。なぜなら、TikTok自体にヒントがたくさんあるからです。

ヒントになる動画はすべてダウンロードしたりメモしたりしています。

動画のジャンルも多種多様なので、すごく参考になっています。

◎これからTikTokの活用を考えている人へのアドバイス

続けて運用していく、していきたいものがあるならまず**その系統でバズってる動画を片っ端から真似する**ことだと思います。

演奏系の動画を出している身として一応伝えたいのは、バズるなら、**演奏できない人がその動画を見てくれるかどうか、ちゃんと考えてつくったほうがいい**です。

例えばめちゃくちゃ上手い演奏をすればちゃんと見てくれるでしょうといった甘い考えは捨てましょう。それは自分で演奏している人や楽器好きしか見てくれないしわかってくれません。要するに分母がめちゃくちゃ小さいのでバズりにくいはずです。

バズるならそこに一般人が見てしまう要素を加えていく必要があります。

例えばですが、路上ライブという場所だったり、動画の前に何か気を引くような文字や言葉をいれる、目を惹く外見でやるとか、そういう**一般人が何か引っかかってくれそうなもの**を取り入れれば、バズりやすくさせられると思います。

【バズった方々⑤】じーつー@恋愛ラッパー

ラップや替え歌で「恋愛あるある」を発信！女性の恋愛を応援してフォロワー15万人！

バズった方々⑤

じーつー@恋愛ラッパー

https://www.tiktok.com/@jitsu3_?_t=8W99pKAfzjG&_r=1

【コンサルティング内容】

■ブームをつくるための仕組み

動画が一般的な「あるある系」だったので、ブームをつくるには**学生が日常で使えるワードをつくる必要がある**とアドバイスしました。（お笑い芸人の小島よしおさんの「そんなの、関係ねぇ!」のような）

■「キメ台詞」でまずは強い印象を与える

「●●な人!!!」と覚えてもらえるように、**「キメ台詞」を30秒の中に3個くらい**入れてもらいました。

■短い時間でも視聴者が一目でわかる画をつくる

キャラクターが2、3種類出演していたので、衣装やカツラを使い、**短い時間の中でも視聴者の頭がこんがらないように整理できる画が大切**だとアドバイスしました。

◎ＴｉｋＴｏｋアカウント運用の目的

有名になりたかったからです。**自分を表現することが昔から好き**で、何かしたいと思っていたときにＴｉｋＴｏｋを始めたら運良くいきなりバズりました。

それがきっかけで多くの人に見てもらえることがうれしくて、日々研究を重ねてどうやったらたくさんの人に動画を見てもらえるかを考えて投稿を続けています。

◎アカウントのコンセプトやキャラクターづくりで、気をつけていること

地球上すべての女性の恋愛を応援することを全力で考えています。

「じーつーといえば◯◯。◯◯といえばじーつー」と覚えてもらえるように、髪の毛をピンクにしたりしました。「カッケーの人」と覚えてもらえるように心がけています。

◎運用期間

1年半

◎投稿内容

男女の恋物語などのショートドラマや、TikTokのトレンドの曲に合わせて、**替え歌で「恋愛あるある」**を投稿しています。

◎TikTokで苦労したこと

恋愛系の動画がたくさんある中で、どうしたら自分を覚えてもらえるか、**ライバルと差別化してバズるにはどうしたらいいか**を考えることが大変でした。今では「カッケーの人」として、少しずつ認知してもらえています。

◎特にバズった動画

【〇〇する俺カッケー】

「〇〇する俺カッケー」という動画です。

学校生活の中でこんなことあるよね！↓「そんな俺、カッケー!!」などの動画を作り続けていったら、案の定コメントで「次はこれをやってください!!!」や「今、学校でカッケーが流行っています！」と連絡がくるようになりました。

ブームをつくるには学生や社会の中で使われやすいワードとシチュエーションを想像してあげることが大切です。

この動画をきっかけ

https://vt.tiktok.com/ZSRXdDSa5/

に**「カッケーの人」として認知**してもらい、このシリーズで、２か月でフォロワーが３万人増えました。

◎コンサルを受けてよかったこと

フォロワーが３万人増え、ファンが爆増しました。ライブ配信の視聴者も増え、グッズを販売できるようになりました。**経験値から具体的なアドバイスをしてくださる**ので再現性があり、すぐに成果に繋がりました。また、質問したらすぐにアドバイスをくださるのもうれしいです。

◎ＴｉｋＴｏｋをおすすめする人

有名になりたい、知名度を上げたい、自分に自信をつけたい、集客力を上げたい人など、さまざまな方にやってもらいたいです。

また、**自分の好きなものや、多くの人に知ってもらいたいことがある人**には、拡散力の高いＴｉｋＴｏｋがおすすめです。

◎これからＴｉｋＴｏｋの活用を考えている人へのアドバイス

ＴｉｋＴｏｋには無限の可能性があります！　ＴｉｋＴｏｋがすべてではありませんが、人生を大きく変えるチャンスがあるので、きっかけにしてもらえたらうれしいです。

【バズった方々⑥】Akane

「少年ジャンプ」の人気曲メドレーでブレイク！クラリネットの演奏動画でフォロワー17万人！

バズった方々 ⑥

Akane

https://www.tiktok.com/@akanecl

【コンサルティング内容】

■第一印象のインパクトをつける

特別音楽が好きなわけではない普通の人は、**演奏している人の服装やキャラクターなどにインパクトがないと動画を見てくれません。**服装などについてアドバイスしました。

■子どもでも知っている曲を演奏する

「ジャンプ」に連載されているマンガの曲など、**子どもでもわかる曲を演奏すること**をアドバイスしました。

また、音楽の場合は「この曲をフルで聞きたい」と思ってもらえると、**Youtubeにも誘導しやすい**んです。

■演奏をBGMにして、別のコンテンツを載せる

吹奏楽部であったいやなことランキングなどのコンテンツと演奏を組み合わせることを提案しました。

◎TikTokアカウント運用の目的

より多くの人にクラリネットの魅力を知ってもらうこと、自分の知名度を上げることです。

◎アカウントのコンセプトやキャラクターづくりで、気をつけていること

クラリネットや**音楽に絡めるコンテンツに統一する**ことです！

私は顔に特徴があるタイプではないので、途中からは曲に合わせた服装にしたり、実際にライブで着ている衣装を動画で着たりと、見た目も気をつけました。

◎運用期間

3年くらい

◎投稿内容

クラリネットの演奏動画

◎TikTokで苦労したこと

クラリネットと掛け合わせられるトレンドの音源や撮り方を探したこと。

クラリネットを吹いている間は喋れないので、長く見てもらうための工夫が大変でした……！

https://vt.tiktok.com/ZSR5p2KsH/

◎特にバズった動画

【みんなはどのジャンプ作品が好き？・？・？】

「週刊少年ジャンプ」の人気曲メドレーです。少し前からアニソンメドレーをやっていたのですが、**「ジャンプ」の曲を提案されてつくったところ、バズりました。**

◎コンサルを受けてよかったこと

ＴｉｋＴｏｋを始めた頃は大勢いる音大生の一人だったのですが、アドバイスをいただいた動画がバズったことより、「ＴｉｋＴｏｋでバズっているクラリネット奏者」として、**プロのミュージシャンに存在を認識してもらうこと**ができました。

その結果、ＴｉｋＴｏｋをやっていなければ出会えなかった人と一緒にお仕事するなど、さまざまなご縁をいただきました。

◎ＴｉｋＴｏｋをおすすめする人

「あの人なんか見たことある！」と、**より多くの人に知られたい人**におすすめです！

◎これからＴｉｋＴｏｋの活用を考えている人へのアドバイス

誰に向けて何のために発信するのかをしっかり考えた状態でスタートすれば、後々自分のやりたいことに繋がってきます！

時間をかけて作成した動画がまったく再生されなかったりして落ち込むときもありますが、**やり方を試行錯誤し続ければ、きっと道が開ける**ときがくるはずです。一緒に頑張りましょう！

【バズった方々⑦】ゆーりん（ち）

オリジナルのショートドラマを毎日発信！1人8役をこなしてフォロワー18万人！

バズった方々 ⑦

ゆーりん（ち）

https://www.tiktok.com/@iroyuri?lang=ja-JP

【コンサルティング内容】

■アルゴリズムの変化があったときにも対応できるように、動画の幅を広げる

投稿のバランスについてアドバイスしました。**似た動画を上げ続けると、アルゴリズムが変わったときに対応できなくなることがある**ため、ドラマの中に心理テストを含めたり、切り口の違う動画を上げたりしました。

■ TikTok では BAN に要注意!

内容的に結構グレー（いじめ・事件）だったので、それだと **TikTok は結構な確率で BAN（運営側から注意が入って動画が上げられなくなる）**になるので、「こういう内容だと BAN されるよ」などとアドバイスをしました。以前、フォロワーが 100 万人ついた方が BAN になり、0 人に戻ったときがありました。

◎ＴｉｋＴｏｋアカウント運用の目的

初めは暇つぶしでやっていましたが、自分で考えて作った動画にたくさんの評価がいただけることに大きな喜びを感じるようになりました。今は自分の生きがいになっていると言っても過言ではないです。

◎アカウントのコンセプトやキャラクターづくりで、気をつけていること

ストーリーを演じている動画なので、私自身の人間性が伝わりづらく、ファンの方がつきにくい状態でした。**毎日ライブ配信することで、親しみやすい存在になれる**よう努めました。

◎運用期間

1年半ほど

◎**投稿内容**

投稿内容はストーリー系です。オリジナルの物語をつくり、登場人物をすべて私が演じています。女性役を演じるときは女装もします（笑）。

https://vt.tiktok.com/ZSRaLwDUR/

◎**TikTokで苦労したこと**

1人で8役ほど演じることがあるので、それぞれのキャラクターに個性を持たせて演技をするのが難しいです。

◎特にバズった動画

【サトコどう動く…？】

いろいろな物語をつくりましたが、バズりやすいのは学園モノのいじめシーンです。ショッキングな内容の動画は、なんとなく見てしまう方が多いようです。

◎ＴｉｋＴｏｋをおすすめする人

継続できる人です。ＴｉｋＴｏｋはバズる時期、バズらない時期が誰にでもあるので、バズらない時期でもモチベーションを保って続けられる人が1番強いと思います。

◎これからＴｉｋＴｏｋの活用を考えている人へのアドバイス

最初から大きく動画がバズることはあまりないので、まず続けることが大事です。でも、一度動画が大きくバズった時の感覚は忘れられません。そのときがくるまでぜひ継続してほしいです。

【バズった方々⑧】じゅん／JUN

異世界漫画や映画の「あるある」を演じて8万フォロワー！
YouTubeの登録者数も7万人超！

バズった方々⑧

じゅん/JUN

https://www.tiktok.com/@junju2424?_t=8VZ34hJLdmT&_r=1

【コンサルティング内容】

■どんな動画を投稿したらいいか

TikTokの運用をこれから始める段階だったので、**「あるある系」の内容で演技する動画がいいのでは**とアドバイスしました。現在、YouTubeの登録者数は7万人を超えています。

■トレンドを組み合わせて次のトレンドを生み出す

TikTokは常に新しい曲が生まれるので、その**トレンドをいかに動画に組み込んでいくか、**それを組み合わせて**いかに新しいトレンドを生み出せるか**が重要になってくる、とアドバイスしました。

ただし、目新しさだけではダメで、最初の3秒でどれだけ惹きつけられるか、どれだけ**コメントしやすい動画**を作れるかが重要なポイントとなります。

◎TikTokアカウント運用の目的

元々は「役者」として有名になることが目的でしたが、今は「自分自身」が有名になることに代わりました。

◎アカウントのコンセプトやキャラクターづくりで、気をつけていること

とにかくインパクトが欲しかったです。

現在髪を伸ばしているのも、当時は髪の長い役者系がそこまでいなかったから。また、いかに**ファンタジーの登場人物が現実に寄り添えるか**を大事にしています。

◎運用期間

1年ほど

◎投稿内容

異世界漫画や映画の「あるある」や「こういうのがあったらいいな」という物語を投稿しています。

https://vt.tiktok.com/ZSRaShBfN/

◎TikTokで苦労したこと

一発撮りで撮影するので、後半でセリフを間違えたときは泣きそうになります（笑）。

◎**特にバズった動画**

【シーズン2は異国で大暴れ（・ω・｀）】

「第二部がありそうな終わり方」です。

◎**コンサルを受けてよかったこと**

どうすれば**「おすすめ」に載りやすいか**、視聴者様が見てくれるか、この動画は流行らない、などの感覚をもてるようになりました。

現在は自分で動画制作をしていますが、**8割ぐらいの成功率**です。

◎**TikTokをおすすめする人**

ひとつのことに集中できる人、好きなものが多い人が向いていると思います。

◎これからＴｉｋＴｏｋの活用を考えている人へのアドバイス

伸びるタイミングは本当に突然です。諦めそうなときにこそ、いろんなことに挑戦してみてください！

【バズった方々⑨】ゆーたん8929

香川県在住のトークパフォーマー独特な切り口で話題を展開してフォロワー21万人！

バズった方々 ⑨

ゆーたん 8929

https://www.tiktok.com/@yutan8929?_t=8VYls9EbQOn&_r=1

【コンサルティング内容】

■素顔を出すこと

以前は素顔を出していなかったのですが、**人柄だけではなく、顔も好きになってもらって、お店へ「会いに行きたい」というお客さんを増やしたほうがいい**とアドバイスしました。**店舗に誘導したいときは、「この人に会いたい!」という気持ちが集客につながります。**TikTok をはじめて、売上が 2 倍になったそうです。

■素顔を出してもらい、「人」を見せる

トークが非常に面白い方でした。よくある事例なのですが、面白い人って**動画は見てくれるのですが熱中的なファンになる人は少ない**のです。そこで素顔を出してもらったら、ちゃんと「人」として好きな人も増えて、現在 BAR も経営していてお客さんも増加しているみたいですね。

◎ＴｉｋＴｏｋアカウント運用の目的

将来、自分が経営するお店の宣伝効果になると思った。

◎アカウントのコンセプトやキャラクターづくりで、気をつけていること

みんなの目を引く、口が達者なキャラクターにしました。

◎運用期間

3年ほど

◎投稿内容

投稿内容は**面白おかしくしゃべる。**男が見たら寒くなるようなカッコつけまくった動画も撮ります。

◎TikTokで苦労したこと

喋るネタが尽きてきたこと、以前よりバズりにくくなったことです。

◎特にバズった動画

【閉店時間過ぎても頭の中がおめでたいカップルに】

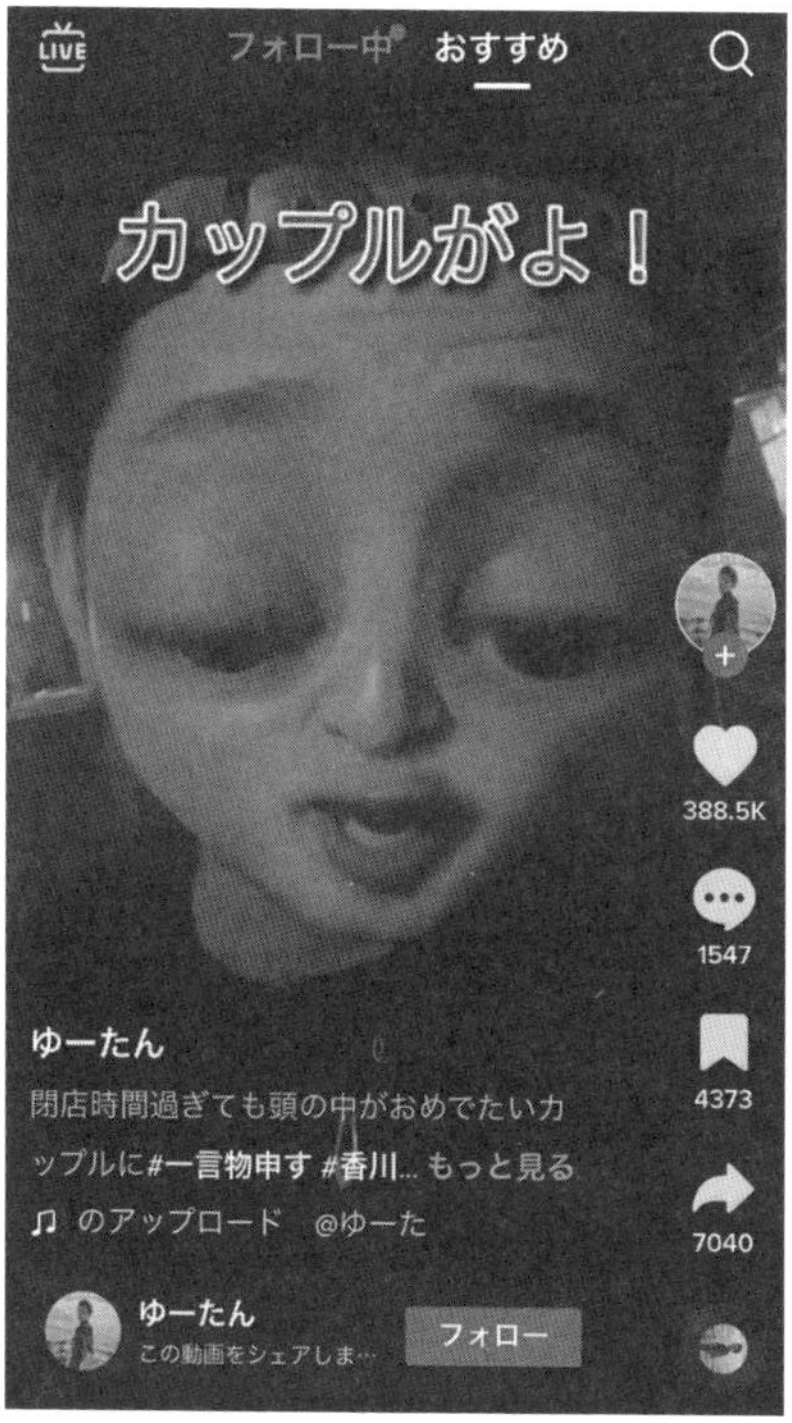

https://vt.tiktok.com/ZSR5tyoG7/

◎ＴｉｋＴｏｋをおすすめする人

偉そうなことは言えないですが、**恥ずかしがらない、笑いを取る行動ができる人**におすすめです。

◎これからＴｉｋＴｏｋの活用を考えている人へのアドバイス

継続は力なり。動画の「おすすめ」を見て、何が流行っているかを知ること。このジャンルなら自分でも動画出せそうと思ったら**続けてみるのが１番。**続けたら大丈夫です。

【バズった方々⑩】奇跡

女性なのに男性の声も出せる奇跡の声！ フォロワー62万人で「さんま御殿」「金スマ」など出演多数！

バズった方々 ⑩

奇跡

【奇跡声域展開】

https://www.tiktok.com/@sashimiryouseirui222

【コンサルティング内容】

■動画のタイトルの付け方

奇跡さんは「声優の仕事をしたい」という目的があったので、**動画のタイトルに必ず【声優】と入れること**をアドバイスしました。すると、動画を見た人がすぐに、「この人は声優で、こういう活動をやっているんだ」と理解できるので、**仕事の依頼がきやすくなります。** 今は、CM やラジオで声優として出演しています。

■声真似のレパートリーを増やすこと

アニメの声真似が多かったのですが、**幅を広げるために芸能人やキャラクターの声真似**などの動画を出していくことをアドバイスしました。芸能人の物真似ができると、テレビ番組やクライアントからも声がかかりやすくなります。

◎TikTokアカウント運用の目的

特徴的な声が原因でいじめられてきたのですが、何の因果か4年ほど声優の仕事をする機会がありました。引退して会社員になったのですが、私の動画が誰かの何かのきっかけになればと始めました。

◎コンセプトやキャラクターづくりで、気をつけていることはありますか？

「自分らしく」をモットーに、「誰かが見たい動画」「ファンが見たい動画」「自分がやりたい動画」をしっかり意識し、交互に出すようにしています。

◎運用期間

1年半ほど

◎投稿内容

声を使ったパフォーマンス動画です。Vlog風の動画でも、喜怒哀楽を感情豊かに、声や表情もコロコロ変わっています（笑）。

https://vt.tiktok.com/ZSRaJsyKr/

◎TikTokで苦労したことはありますか？

TikTokアプリが**アップデートされる度に仕組みが変わること**が、機械オンチの私には辛かったです。

配信中に音声の返しがなくなったり、編集作業のバグで音ズレが必ず生じてしまったり……。

◎特にバズった動画

【声優が本気だしてみた】

15秒で七色に声帯変化します。

◎TikTokをおすすめする人

正直、おすすめはしません。理由は、今のネットリテラシーを踏まえて想像してみて下さい。

でも、TikTokは「やりたいことをやるためにできること」だと思っています。

必要な人には、「無限の可能性」と「チャンス」を与えてくれます。

◎これからＴｉｋＴｏｋの活用を考えている人へのアドバイス

どんな過酷な結果でも、辛辣なコメントがきても絶望することがあっても、私は挑戦して戦うあなたの味方です！ 自分を信じて一緒に頑張りましょう。

第6章

TikTok 巻末クイズ（理解度チェック）

この本を読んで、ＴｉｋＴｏｋについて理解は深まったでしょうか？

最後に、ＴｉｋＴｏｋでバズるための知識があなたにどのくらいついたか腕試しができるクイズを出します！

TikTok 巻末クイズ◎問題1

次の動画がバズるように、タイトルをつけるとしたらどれがいいでしょう？

<選択肢>

1. 人生かけた
2. デブの挑戦
3. とってみた
4. 最後にまさかの …

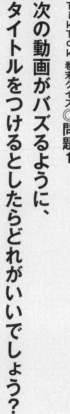

（答え）4．最後にまさかの…

クレーンゲームは、「最後に取れるか？　取れないか？」という答えがはっきりしています。

その結末をタイトルに書いたら、ネタバレになってしまうので、あえて最後まで見ないと答えがわからないタイトルにするのがポイントです。

タイトルはまずクリックされることがポイントになるので、クリックされやすいタイトルにしてみましょう！

ＴｉｋＴｏｋ 巻末クイズ◎問題2

次の動画がバズるように、タイトルをつけるとしたらどれがいいでしょう？

<選択肢>

1. 今日の夕食
2. 世界一おいしかった
3. 100kg 男の斬新な食べ方
4. 家族料理たべた

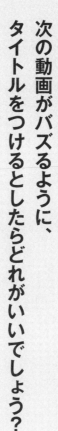

（答え）3．100kg男の斬新な食べ方

タイトルは、目を引くワードであることがとても大切です。さらに、１００ｋｇという具体的な数字を入れることで、興味をひきます。

また、「食べ方」と入れることで、「どんな食べ方なんだろう?!」と最後まで見てもらいやすく、視聴時間を延ばせます。ただし、ショートムービーは起承転結の「起」と「結」が大事なので、時間をかけて面白い結末を考えましょう。

TikTok巻末クイズ◎問題3

この動画がバズるためには、まず何を改善したらいいでしょうか？

<選択肢>

1. おじいちゃんをおばあちゃんに変える
2. 画質を改善するために照明を買う
3. おじいちゃんは動画から外す
4. おじいちゃんだけ映す

（答え）２．画質を改善するために照明を買う

この動画で一番の改善点はカメラの画質と照明です。ショートムービーを見慣れている人は普段、画質のいい動画を見ています。

そのため、画質が悪い動画を見ることはそれだけでストレスに感じやすく、フォローに繋がりにくくなります。

画質を改善する方法としては、正面からライトを当てることです。それだけで、顔全体にライトがあたって血色がよく見えます。

次に改善するとしたら、おじいちゃんのキャラクターを際立たせることです。

おじいちゃんは日本中どこにでもいるので、あえてお札を頭につけることで個性を出しています。

みんながこのおじいちゃんを思い出すときに、「あぁ、あの頭にお札つけているおじいちゃんね」と思い出せると、フォローにつながりやすいです。

あとがき　～未来の予想～

最後まで読んでいただきありがとうございます。

僕はＴｉｋＴｏｋのおかげで人生を大きく変えることができました。多くのクリエイターに出会えたと同時に、自分の会社がここまで大きくなったのはすべてＴｉｋＴｏｋのおかげだと思っています。

そして２０２３年、我がＲＰＧエンターテイメント社はニューヨークに支社をつくり、海外展開をしていきます。弊社のタレント（ＴｉｋＴｏｋｅｒ）のフォロワーは海外の人が半分以上です。海外のお客様には、グッズや音源、アプリなどを買っていただき、投げ銭もしていただいております。

コンサルティングの案件も、海外から多数の問い合わせをいただいております。この現象はこれからさらに加速していくと思われます。

これまで日本のＹｏｕｔｕｂｅｒは国内の案件を仕事としていきましたが、これからは世界各国どこでも仕事ができるような環境になり、世界中にクリエイターが進出していくでしょう。

ＲＰＧエンターテイメント社は、クリエイターが世界各国で安心して仕事ができるような体制をつくっていきます。バズってクリエイターとして力をつけてきたら、ぜひ一緒にお仕事をしましょう‼

２０２３年２月

しずく

著者：しずく社長

- TikTokプロデューサー
- RPGエンターテイメント社長
- ロボットしずく（アーティスト）

アーティスト＆社長。世界を目指すTikToker専門事務所 RPGエンターテイメントを経営。プロデュースを担当したYouTuberのチャンネル登録が4か月間で10万人増、TikTokerのフォロワーが1年間で300万人増を達成。コンサルティングしたタレント200人の総フォロワー数は3,500万人にのぼる。パフォーマー「ロボットしずく」「NINJA SAKURA」としても活動。プログラミング、VR、AR、unity、アプリ開発、曲作りも手掛ける。

必ずバズる！ TikTok

本当に稼げるTikTokの使い方

2023年4月5日　第1刷発行

著者　しずく社長

発行人　後尾 和男

構成　久保 佳那

編集協力　板倉 義和

装丁・組版　テラカワ アキヒロ（Design Office TERRA）

発売元　株式会社 玄文社
〒162-0811 東京都新宿区水道町 2-15

印刷・製本　新灯印刷 株式会社

ISBN 978-4-905937-93-7